1989-1994 十八—十九世紀之卷

文學回憶錄

木心 講述　　陳丹青 筆錄

木心，一九九一年冬，攝於紐約中央公園，時為木心講文學課期間。

「年輕時，少年氣盛，只面對未來，只關心未來。母親說：你志向對，可不是太苦了嗎？我說是，只好這樣。」——木心的母親，攝於二十世紀五十年代。一九五六年，木心首次蒙冤入獄，半年後平反出獄，母親已憂病而死。

在紐約，木心從古董市場選來各種相框，親手用顏料塗飾做舊，樂此不疲，然後嵌入文學家肖像，放在他的書房裡。圖為杜思妥也夫斯基像。

「蕭邦的愛國，層次高了。他怎麼愛法？我代他表達：『我愛波蘭，我更愛音樂。』」圖為木心書房中的蕭邦照片。

木心書房裡的托爾斯泰像。

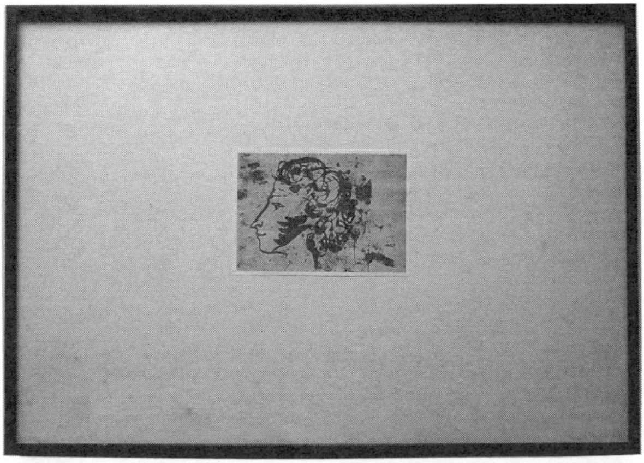

木心書房中的普希金毛筆自畫像（上）、晚年紀德像（下）。

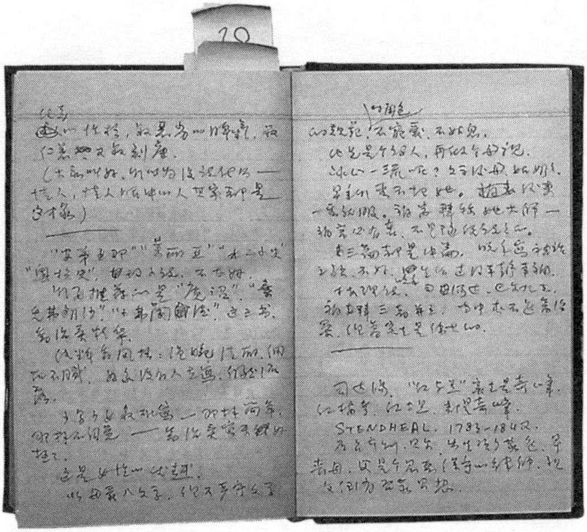

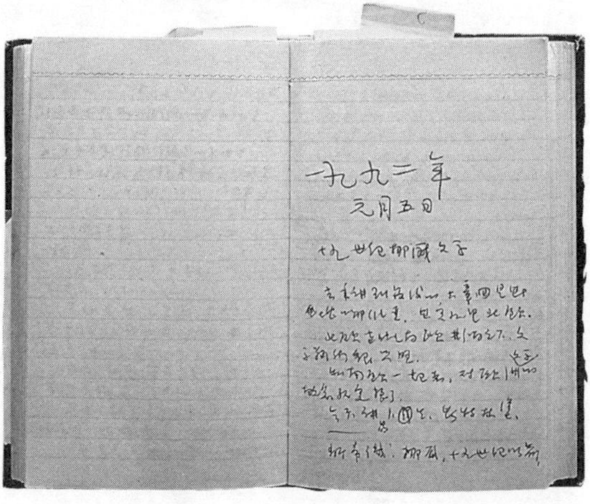

（上）第44講筆記：「早年我看不起喬治．桑，後來一看就服。福樓拜稱她大師。福樓拜言必由衷，不是隨便說說的。」
（下）第53講筆記：「北歐在當時南歐影響之下，文學藝術很興旺。」

目錄

第35講

十八世紀英國文學

蒲柏 《奪髮記》《格列佛遊記》 狄福 約翰遜 彭斯

1991.1.4

音樂不能諷刺任何東西，沒有「他媽的進行曲」。彈一曲琴，能把你的仇敵氣死嗎？音樂是純粹的，這是它的弱，也是它的崇高。

《魯濱遜漂流記》寫成後，一再為出版社拒絕。給一個年輕人見義勇為出版了，四個月內再版四次，之後流傳全球，連阿拉伯沙漠都有，中國也翻譯得很早。

以死得道，是「殉」，不死而得道，也是「殉」；死而不得道，是「犧牲」，不死也不得道，是行屍走肉。然而以死殉道者看不起不死者，不死者又看不起死者……兩者都沒有得道。

不回顧則已，一回顧，已經講了三年了。既然三年講下來，講的在講，聽的在聽，那味道就有點來了，鄉下人的講法，是「饅頭咬到豆沙邊」。

每一種文化，當它過去後，看回去，是有一個人作為前導、代表、象徵。事前是無法預知的，事中，也是半知半覺，直到最後，他死了，同代人也不存在了，這時，歷史開始說話：誰是前導，誰是代表，誰是象徵。

由此看來，歷史從不大聲疾呼，歷史只說悄悄話。有人問我：誰是最溫柔的？我說：是歷史。它從不哇啦哇啦，總是說悄悄話，但誰都要聽它。

近例：「五四」過去了。誰是代表？思考題。

重要作家及其作品

英國十八世紀文學，有它的前導和代表：亞歷山大．蒲柏（Alexander Pope，一六八八—一七四四）。

父為殷商，童年在人生的美景中長大。個矮，才高，十六歲發表《批評論》，成一名詩《奪髮記》（*The Rape of the Lock*），同時翻譯了荷馬的《伊利亞特》。脾氣暴躁易怒，易樹敵，成一大型諷刺詩，攻擊他的敵人。他是攻擊性的，鋒利的。

諷刺在藝術中的位置是什麼？我認為：直接的、有具體對象的諷刺，是不藝術的。但丁、歌德，有過很多諷刺詩（歌德曾和席勒天天寫諷刺詩），被遺忘了。但《神曲》、《浮士德》流傳，偉大。

魯迅的大量諷刺文，對象太具體，今日沒有人看了。

大的叛逆，要找大的主題。攻擊上帝的，是尼采。攻擊宇宙的，是老子。他們從來不肯指具體的人、事。

原則：攻大的，不攻小的；攻抽象的，不攻具體的。

我也氣過、攻擊過很多人事，但終於放進抽屜，不發表，不抬舉他們——要找大的對象。

漫畫、雜文，留不下來。音樂不能諷刺任何東西，沒有「他媽的進行曲」。

蒲柏，以《奪髮記》成為當時的文壇領袖。

彈一曲琴，能把你的仇敵氣死嗎？音樂是純粹的，這是它的弱，也是它的崇高。

杜甫寫過諷刺詩，但知道此事不可多為，只寫了幾首就算了，不肯多寫。「爾曹身與名俱滅，不廢江河萬古流」，諷刺詩也（這六首諷刺性的七絕，題目就叫〈戲為六絕句〉），多好，打在關鍵上，樹立大的意思。

蒲柏以《奪髮記》成為當時的文壇領袖。小史詩，分五章，想像豐富，才調優美，在英史上，被評為僅次於莎士比亞。最後的作品《人論》（*Essay on Man*），也是詩，是哲理詩。《奪髮記》是敘事的、抒情的，《人論》是哲理的，公推為英國史上最高貴的哲理詩。後生病，不能寫作了，得年五十六歲。在世時攻擊他的人不少，諷刺他的文字連續不斷，都湮滅了，蒲柏還在。用英國說法，歷史是最有風度的。

講講英國散文。十八、九世紀，歐洲出現雜誌，散文、論文因之發達。小說中的倫敦貴婦人，朝妝時就看報，聽人讀報。

出艾迪生（Joseph Addison）和斯蒂爾（Richard Steele）。從前的文化生活，是讀《聖經》、史詩、牧歌，到十八、九世紀，讀書始有和日常生活相關的興味。

兩位作家是牛津同學，同生於一六七二年，共同辦過好多報紙：《衛報》（*The Guardian*）、《觀察家報》（*The Spectator*）等等。平時參與政治活動，寫劇本。到一七一八年，兩人鬧翻了（友誼也像婚姻一樣，要離婚的。中國人說法，緣盡而散）。

強納森・斯威夫特（Jonathan Swift，一六六七—一七四五），我的童年的朋友，大人國、小人國，《格列佛遊記》（*Gulliver's Travels*）的作者。你們沒讀過，也許聽說過。他是愛爾蘭人，被稱為愛爾蘭人的偉大兒子。他父母是英國人，他生在愛爾蘭的都柏林。從作品看，他生活得平安順暢小康，一定興致勃勃，好心情。我成年以後才知道，他是個很苦命、孤獨、乖僻的畸零人，憤世嫉俗，恨人類恨到極點，愛情上飽受痛苦。我知道後，覺得很對不起他。

小時候，我家裡有一位常年工作的裁縫，為五個主人做衣服。有一天走進他的工房，見他裁剪、過漿、熨燙，一針針縫，繁瑣極了，以後我穿新衣時，總感到有一種罪孽——現在輪到我做裁縫，你們中也有人像孩子，想走進我的工房，

斯威夫特，寫《格列佛遊記》。憤世嫉俗。晚年，曾有兩年不說一句話。

瞧瞧怎樣裁剪縫製。我比老家的裁縫精明，門關上，不許人進來。

斯威夫特疾恨人類，又要寫給人類看。晚年，曾有兩年不說一句話。父窮，無遺產。他自小與貧困搏鬥，初學於劍橋三一學院，後自力拼到牛津，在親戚家打工，實為僕人。曾參加政黨活動，但與人合不來。愛情中，他愛斯特拉小姐，但相敬如賓，每次必有第三者在場，他才與之說話。斯特拉小姐死，另有一女狂熱愛他，他不愛，只愛著死去的斯特拉小姐。

還有一本《桶的故事》（*A Tale of a Tub*）。我們讀來好玩，其實是憤世嫉俗。他認為此書最好，晚年曾叫道：「上帝啊！我寫此書時是何等天才啊！」

在我看來，斯威夫特是月亮，只一面向著人類，另一面照著他的情人。他晚年不說一言，真是好樣的——藝術家。

我講完了文學史課，也得從此沉默了。

再講一位我們少年時的好友：丹尼爾·狄福（Daniel Defoe，一六五九／一六六一——一七三一），《魯濱遜漂流記》（*Robinson Crusoe*）的作者。小說，是近代的東西，從前的文學，都是神話。狄福開始寫人間的事，當時新鮮極了。

狄福與彌爾頓是鄰居，從小教育良好，父望其成為傳教士，他想做文學家。

除《魯濱遜漂流記》外，他還有什麼作品？大家答不出吧。有。二百五十本，有傳記、政論、詩、雜文、遊記等。還辦過報，那報是手寫的——真不明白是怎麼寫的。他還反政府，入獄，罰款，一生忙忙碌碌。「救濟」、「農業貸款」等等社會改革語言，是他提出來的。

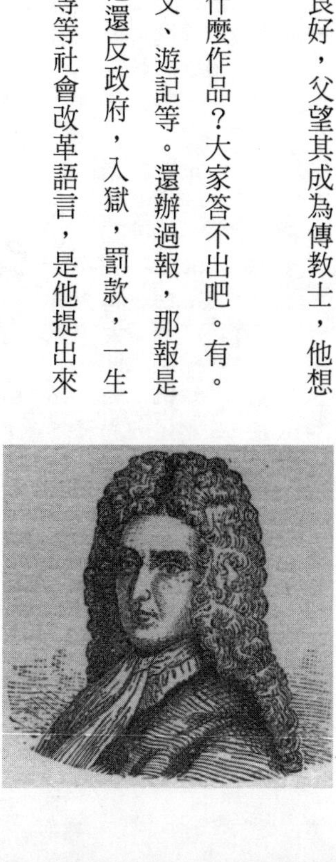

狄福，寫《魯濱遜漂流記》，逼真的文學代替了古代幻想文學。

《魯濱遜漂流記》寫成後，一再為出版社拒絕。給一個年輕人見義勇為出版了，四個月內再版四次，之後流傳全球，連阿拉伯沙漠都有，中國也翻譯得很早。

此時，逼真的文學代替了古代幻想的文學。古文學和新文學的分界在此。

我們要有耐心讀古人的東西，要體諒他們的好奇心，如鬼怪之類。現代人喜歡真實——在杜思妥也夫斯基以前，以為已寫得很真實了，到杜氏一出，啊！文學能那麼真實！到普魯斯特，更真實。

我想將真實寫到奇異的程度，使兩大文學範疇豁然貫通。我憎惡人類，但迷戀人性的深度。已知的人性，已夠我驚歎，未知的人性，更令我探索，你們都是我探索的對象——別害怕，我超乎善惡。

文學不是描寫真實，而是創造真實——真實是無法描寫的。上帝是立體的藝術家，藝術家是平面的上帝。耶穌是半立體的，十字架只有正面才好看，側面不好看，非得把耶穌釘上去才好看。

藝術家要安於平面。尼采和托爾斯泰都不安於平面，想要立體，結果一個瘋了，一個癡了。

狄福另一名著《大疫年紀事》（*A Journal of the Plague Year*），純為小說，出版後普遍認為是紀實，史家則引為資料。可大疫流行時，狄福只有五歲——他全是想像的。《魯濱遜漂流記》是歐洲大陸第一本紀實性小說。另一小說《騎士回憶錄》（*Memoirs of a Cavalier*），想像、紀實兼有，影響到後來的大仲馬、司各特。狄福共六部小說，都很成功，《魯濱遜漂流記》名氣太大，自己壓倒自己，沒話說。

另一小說家，**塞繆爾·理查森**（Samuel Richardson，一六八九—一七六一），用書信體寫作（補充常識：十八世紀英國，讀小說是不好的事。中國亦然，看不起小說，紳士淑女讀小說是不光彩的）。他的寫作是「發乎情而止乎禮」，用現代話，是「熱情規範於道德」。狄德羅認為，理查森可與荷馬等古典大家相提並論。斯塔爾夫人（認為歌德《浮士德》寫得不好的就是她）高度雄辯，也大賞理查森的小說，曾前往哭其墳，結果墓中是一位屠夫。

亨利・菲爾丁（Henry Fielding，一七〇七—一七五四），二十歲到倫敦，以劇本謀生，窮苦。小說有《湯姆・瓊斯》（*Tom Jones*）。菲爾丁是典型英國人，親身參與社會活動，接觸各種人，作品屬現實主義。理查森是寫給女人看的，菲爾丁是寫給男人看的。

所謂現代小說，現實主義，真是好不容易才形成的。神話、史詩、悲劇，好不容易爬到現實主義這一步。

勞倫斯・斯特恩（Laurence Sterne，一七一三—一七六八），英國哲人卡萊爾（Thomas Carlyle）將他比作英國的塞萬提斯（當然比不上）。以古代諷現代，帶點俏皮，玩世不恭。

托比亞斯・斯摩萊特（Tobias Smollett，一七二一—一七七一），以書信體寫小說，代表作《克林考的旅行》（*The Expedition of Humphry Clinker*）。

安・拉德克利夫（Ann Radcliffe，一七六四—一八二三），女作家。近代中篇小說受她影響，寫夜、恐怖、心理。

蒲柏以後，英國詩人要算**托馬斯・查特頓**（Thomas Chatterton，一七五二—一七七〇）引我同情。

生於一七五二年，早熟，神童，幼年即能詩。研究古文，中世紀知識豐富，煉成奇異的古英文文體。聰明而能用假名，稱其詩集是十五世紀古人遺稿之發現，去騙出版社，一般人竟也信了。直到後來被發現，遭斥責，赴倫敦找活，寫小文謀生，活不下去，服毒自殺，僅十七歲九個月。

少年人是脆弱的，因為純潔。二十七歲、三十七歲、五十七歲，人就複雜了，知道如何對付自尊心，對付人生。

他的詩〈埃拉〉（Song from *Ælla*）：

唉，我的回旋曲
伴我一同落淚
休假日不再跳舞
像河水般地流過去
他死了
在床上
那柳樹底下

髮如夜之黑
頭如雪之白
臉如清晨之光輝
他已冰冷

在床上
那柳樹底下

口音如畫眉的歌唱
跳舞敏捷得如思想
手臂遒勁，擊鼓如雷鳴
他躺下了
在床上
那柳樹底下

聽烏鴉在拍翅膀
幽深的山谷都是荊棘
有誰在唱歌呢
一切都沉入夢魘
我的愛已經死了

去看看他吧
在那柳樹底下

托馬斯・格雷（Thomas Gray，一七一六—一七七一），母親是裝飾品製造工藝人，竟能將兒子送進劍橋大學，後來成為劍橋近代史教授。格雷詩作極少，無人能以這樣薄薄一本得詩臺地位，且其中僅一首〈墓園輓歌〉（Elegy Written in a Country Churchyard）。以一詩得地位，世上僅此公。

詹姆斯・湯姆遜（James Thomson，一七〇〇—一七四八），代表作《四季》（*The Seasons*）。詩風真是樸素，反華麗雕琢。另有《懶惰之堡》（*The Castle of Indolence*），寫了十五年。他是後來湖畔詩人華滋華斯一派的前驅。

威廉・柯柏（William Cowper，一七三一—一八〇〇），詩詠大自然。愛小孩、貓與花，重現象、外形，不入思想情趣。

拉開去——世上有一類藝術家，我定名為「形相家」。譬如梵谷的畫，無所謂思想深意或詩意，純為形相，屬形相型；音樂上，史特勞斯、德布西，形相型。而另一類是靈智的。

華滋華斯、柯柏，是「形相家」，和梵谷一樣，要在自然形相上見上帝。上帝不在，與自己吵，就瘋了——柯柏也瘋了。

他們要是來找我，我告訴他們，他們屬形相型，於是他們心有所屬，理有所得，不吵了，安安靜靜，畫畫的畫畫，寫詩的寫詩。

我好思考，卻偏愛形相型的藝術家，很好相處，可愛，單純。弄靈智的人不好辦，都是有神論者，挾靈智而令眾生。

希臘雕刻是形相與靈智的合一。米開朗基羅也是靈智與形相兼得，故靈智的達文西嫉妒他。拉斐爾是形相型的。

尼采、華格納，兩人都靈智。

尼采也有形相的一面。他要回到希臘的靈與形的合一，但希臘雕刻是靜的，尼采要動的、酒神的、肉身的。華格納從形相通向靈智，尼采同他吵翻，他要回到希臘，又要超人，不要靜默的石頭，要動。他是靈智的，又迷戀形相，由隱而顯，不平衡了，瘋了。

靈智到極點，形相到極點，都是偉大的藝術家。

最高貴偉大的藝術，是靈智與形相的渾然合一。兩者各趨頂端，也偉大。

回到英國。塞繆爾・約翰遜（Samuel Johnson，一七〇九－一七八四）是英國文壇的領袖。才不太高，而人格偉大，影響文壇。

出身苦，父為小書商。求學牛津，極為窮困。母喪，撰文投稿，喪葬費乃由稿費償付。不受權貴施捨，還奉養幾位孤苦老人。他意志堅強，從不曾屈服。面醜，死命奮鬥，與那位十七歲自殺的少年截然相反。

我又要跑野馬，小孩的跑法——到底是堅強不屈好？還是撒手不管好？

我看不活，棄世，也是一種堅強。

我說過「以死殉道易，以不死殉道難」，說得太含糊。「殉」是動詞，

約翰遜，英國文壇的領袖。母喪，撰文投稿，喪葬費乃由稿費償付。

「道」是名詞，「死」是助詞。以死得道，是「殉」；不死而得道，也是「殉」，死而不得道，是「犧牲」，不死也不得道，是行屍走肉。牛羊死，有什麼道不道。

然而以死殉道者看不起不死者，不死者又看不起死者……兩者都沒有得道。真的以死而殉道，一定理解尊重那不死而殉道者；真得道而不死者，也一定理解死而殉道者。

這是對上帝說的，不必注。對學生講，可以注此一注。

奧利弗・哥爾德史密斯（Oliver Goldsmith，一七三〇—一七七四。以下作者，都和約翰遜有關係。約翰遜辦文學會，以下皆會員），其父為副牧師。求學於都柏林的三一學院。窮，寫歌賣，每首五先令。往愛丁堡學醫。一七五四年，二十四歲，遊歷國外，兩年後回來，身無分文，帶回大量素材。後成書《世界公民》（*The Citizen of the World*），成名。仍然困苦。

十八世紀，貴族作為文人的保護人，已經沒落，後來的「公眾」，還沒有起來，十八世紀是青黃不接期。他欠房租入獄，約翰遜來幫。成《維克菲爾德牧師傳》（*The Vicar of Wakefield*），約翰遜幫助推薦，出版得六十鎊。此書不僅感動英國人，也感動了法國人、德國人。他的作品真樸可愛，明亮流麗，其為人也深得朋友們喜歡，一七七四年死，噩耗傳來，一片哭聲。

我讀過他的詩作《荒村》（*The Deserted Village*），寫一個旅人回到故鄉，指望重享童年時的暮色鄉音，可是滿目荒涼，從前的花園、住宅、學校，都已毀廢了——那時我是個慘綠少年，慘得很，綠得很，現在頭髮白了，有朝一日回故鄉，公路、高樓，興旺發達，那也是一種荒涼哩。

埃德蒙・伯克（Edmund Burke，一七二九—一七九七），政治思想家，其文學造詣表現在演講詞和政論中。譯者以為他是一流詩人投身於政論中。

范妮・伯尼（Fanny Burney，一七五二—一八四〇），以書信體寫小說，也以日記方式寫宮廷事和約翰遜文學會的內容。

愛德華・吉本（Edward Gibbon，一七三七—一七九四），就學於牛津大學。

《羅馬帝國衰亡史》（*The History of the Decline and Fall of the Roman Empire*），費時十三年寫成，是他遊歷羅馬後所作，大量考證，同代高層學者都非常讚賞。

愛德華・吉本，費時十三年，寫成《羅馬帝國衰亡史》。

休謨（David Hume，一七一一—一七七六），大哲學家、歷史學家。在英國，休謨、羅伯遜（William Robertson）、亞當・史密斯（Adam Smith）、沃波爾（Horace Walpole）、切斯特菲爾德（Lord Chesterfield），都在文學史上列名。

今天以詩人開始，以詩人結束。

羅伯特・彭斯（Robert Burns，一七五九—一七九六），蘇格蘭人，有「蘇格蘭莎士比亞」的稱號。父有田產，幼時半農半學，一邊吹口哨，一邊將自然美和少年愛情配入音樂。（肉體和精神是一起發育的，你們有這體驗嗎？）

發育後，他厭倦做農民（我發育後，厭倦做少爺，要自己奮鬥），強烈憎恨周圍一切，決心赴遠方，去西印度。沒有路費，以他的詩出集，得稿費，結果大為轟動，錢源源來——他不走了。在愛丁堡，連政界也歡迎他，要他去徵稅。大家宴請他，他過量飲酒，著涼，死了。僅三十七歲。

暴得大名，不祥。

富於同情心，抒情詩那麼長。他的詩很像一個人快樂時眼淚汪汪。我愛彭斯，可是現在已說不上來了，就像我愛過一個姑娘，她究竟是怎樣的，現在也說不上來了。

休謨，大哲學家、歷史學家，在文學史上列名。

詹姆斯·霍格（James Hogg，一七七〇—一八三五），蘇格蘭農家子，放牛放羊。最著名的詩是《雲雀》（*The Skylark*），長詩《女王的足跡》（*The Queen's Wake*），在英國享有廣大讀者。

威廉·布萊克（William Blake，一七五七—一八二七），生於倫敦。父親是布商，兒子在發票背後畫圖寫詩。享有詩名之外，也是英國的著名畫家。

紀德認為世界上有四顆大智慧的星，第一顆是尼采（舉手贊成），第二顆是杜思妥也夫斯基（舉手贊成），第三顆是勃朗寧（手放下了），第四顆是布萊克（我搖手了）。為了這份名單，我幾乎與紀德鬧翻——布萊克的畫，我以為不是上品，文學插圖，我討厭。米開朗基羅變形，變得偉大；他的變形，是浮誇。他畫中的夢境和意象，太廉價了。

傾向夢的藝術，我從來不喜歡。夢是失控的，不自主的；藝術是控制的，自主的。蘇東坡讀米元章〈寶月觀賦〉後，說「知元章不盡」，李夢熊聽我談到布萊克畫，也說「知足下不盡」。

藝術本是各歸各的，相安無事的。可是有了藝術家，把藝術當成「家」，於是「家家有本難念的經」。

我講課，是要你們自立，自成一家，自成一言。這過程很漫長的。從前學師，沒有畢業期的。蘇秦、張儀、孫臏、龐涓，都是鬼谷子的學生，住處是鬼谷（雲夢山），學成，師父才說可以下山了。從前有姜尚——姜太公——八十歲開始幫周朝打天下，八百年江山。他若見我，會說我年輕——諸位還得安靜誠實做功夫，別浮躁——姜太公八十歲前，是個全時宰豬宰羊的人。

一粒沙中見世界
一朵花中見天國
把無限存在你的手掌上
一剎那便是永恆

形相和靈智結合，是布萊克最著名的詩（〈天真的預言〉〔Auguries of Innocence〕）。這在中國詩中，老話題了。為什麼他寫得飽滿、正常、健康？寫酒，中國人老手，可是給西方人寫來，真健康。

學問、本領，就看你的觀點、方法。無所謂正確不正確，只要有觀點、方法，東西就出來。

布萊克，農家子弟，放牛放羊。紀德眼中的第四顆大智慧之星。

第36講

十八世紀法國文學、德國文學

孟德斯鳩　伏爾泰　狄德羅　盧梭　威蘭　萊辛《拉奧孔》

1991.1.18

一個純良的人，入世，便是孟德斯鳩；出世，便是陶淵明。

伏爾泰已過時了。因為嘲笑是文學的側面，光靠嘲笑不能成其偉大的文學。莊子不老是嘲笑，僅用一用，餘力用到文學的正面。伏爾泰的意義比較大，世界性，魯迅比較國民性、三十年代性。

十七世紀德國同當時的英法相比，很慚愧，沒有什麼文學。到了十八世紀，忽然像一棵樹，長高，繁盛，開花結果，不僅能媲美英法，且有稱霸歐洲的勢頭。到歌德，橫跨十八、九世紀，尤為光華絢爛。

先介紹一點路易王（Louis）的由來。大家今後反正要到法國去，要多點常識。傳說法蘭西王，都用「路易」。最著名是路易九世，稱「神聖路易」（Saint Louis），十二歲登王位（一二二六年），為人正直，虔信宗教。路易十二也著名，十五世紀（一四九八年）登基，政治講仁慈寬恕，被稱為「人民的父親」。接下來是路易十四，好大喜功，好戰，好建設，好文藝，由他建成今日所見的法國（到十八、九世紀，成為世界文化中心），但軍費浩繁，上流社會奢侈豪華，至路易十五，伏下後來法國大革命遠因。路易十六，位至十八世紀末，此人優柔寡斷，大革命時與皇后一起上斷頭臺。

我們講十八世紀法國文學，正值路易十五，統治很長，苛政，重稅，沒公道，沒言論自由。西方講嚴密統治，均提路易十四、十五——警察、告密，很發達。當時國庫支出大，文化人不從、教會不從，士氣低落。這樣的時代，產生反抗文學。

上次說，一文化湧現，由一個人為先導、代表、象徵。十八世紀法國文學的先導、代表、象徵是誰？以後我們都要答得出。現在是「沙蟲」，以後要變成沙龍。

十八世紀法國文學，散文的法國

孟德斯鳩（Montesquieu，一六八九—一七五五），思想家，博學多才，家裡世世代代為法官。孟德斯鳩初在色爾都（以出酒著名，蒙田故鄉）學法律，後入選法蘭西學院，有年俸，遊歷歐洲各國，曾在英國住過兩年，細研英國憲政，回來後出名著《法意》（*De l'Esprit des Lois*，中國今譯《論法的精神》），成為今之民主國家立法之根本。三權分立，就是他提出的。今人研究法律，都要研究孟德斯鳩。

文學上的建樹，是散文《波斯人信札》（*Lettres Persanes*），假托信，諷刺法國政治，提出自己的理想。他扮成波斯人——梅里美扮成葡萄牙人——隔了一層，說起話來自由。文學都知道假托。

智者為人，必有三者兼備：頭腦、才能、心腸。

三者，有一者弱，不好嗎？

不，哪一點弱，正往往形成他的風格。對照自己，不夠處加強，也可找到風

孟德斯鳩，今人研究法律，都要研究他。《波斯人信札》是他在文學上的建樹。

格。

孟德斯鳩三者平衡（他也許是我的「謬托知己」），特異在哪裡？他能持久地執著於自己明朗的心情。不易啊！一時一時的明朗心情，可以有。持久的明朗，太難。

「我每天早晨醒來，陽光明朗，我散步、寫作。」他說。

「我有妻子、兒女，我並不怎麼愛他們。」但他對他們很好。

又說：「一個人在痛苦的時候，最像一個人。」這話由他說特別好，懂得人家的痛苦。

清瘦。稀髮。

法蘭西的傳統：明智。孟德斯鳩特別明智。我一直愛他。別的法國前輩，我總有意見——蒙田，我要嘲笑他頭腦硬，膝蓋軟。盧梭，我認為他對他的《懺悔錄》應該從頭懺悔。羅曼．羅蘭、紀德、沙特，那就更不留情。但孟德斯鳩我不願說他。這樣的人太少有：明朗，平衡，通達，純良。

中國人說：「不事王侯，高尚其事。」

一個純良的人，入世，便是孟德斯鳩；出世，便是陶淵明。

十八世紀法國文學興風作浪的是誰？又是一個話題。

伏爾泰（Voltaire，一六九四—一七七八），生於巴黎，小孟德斯鳩五歲。真名弗朗索瓦—瑪利．阿萊泰阿（François-Marie Arouet）。求學時即離經叛道，脾氣不好，常與父親吵。暗下寫諷刺詩，被捕入獄一年，時二十歲。此後遊歷六年，回來後與一公爵打筆戰，又關六個月，出獄後被放逐英國。

我以為這都是因禍得福。擴大說，文學家、藝術家、思想家，都是因禍得福的人，不過闖禍別闖到死掉。

到英國後，他展開交遊，與沃波爾（Robert Walpole）、博林布羅克、蒲柏等俊傑來往，讀莎士比亞，研究物理學……三年交遊、閱讀、研究，大有好處。有人說，伏爾泰離開法國時是個詩人，回法國時是個聖人（韓信過橋時，說：再過此橋，必是公侯將相）。

伏爾泰，諷刺嘲弄，銳不可當。年二十歲，即因寫諷刺詩，被捕入獄一年。

回國後展開政治活動，消融普法戰爭，與龐巴度夫人（Madame de Pompadour。編按：或譯蓬巴杜夫人）成為朋友。他坐高位，拿高薪，照樣冷嘲熱諷。不久在宮廷失寵，到德國，住在腓特烈大帝宮中，住不慣（所謂大學，是知識的蜂房，但那年我去哈佛辦展覽，一字也寫不出）。他也有很貪婪的一面——看他相貌，此公有非分之想——涵養功夫也不太好。國王給他看自己的幾首詩，要他批評修改，對曰：「要讓我洗那麼多髒襯衫。」

我以為，要能刻薄，也要能厚道。要能說出這樣的話，也要能不說這樣的話。

一句鬧翻，他離開普魯士到日內瓦去了，至死，成歷史、哲學、劇本、詩共七十二卷。我看過不少，不喜歡。浮誇，和李斯特一樣，都有點自鳴得意，江湖氣。蕭邦成功之處，恰是李斯特失敗之處，蕭邦的優雅出神之處，到李斯特手裡就成江湖氣。

我改文章，可以將羞恥改成光榮，為什麼？希臘雕刻，你動一點點，就成恥辱。

他的長處，是諷刺嘲弄，銳利不可抵擋（但我以為他諷刺的本領不如莊子）。他表白明晰，見解犀利。人家尚未感到，他已成言，別人還在結結巴巴，他已口齒伶俐，大聲發言。他被稱為無神論者。他有錢，就蓋了個大教堂，寫上：伏爾泰獻給上帝。他說：別人獻給聖人，我只為主人做事，不為僕人做事。

伏爾泰已過時了。因為嘲笑是文學的側面，光靠嘲笑不能成其偉大的文學。莊子不老是嘲笑，僅用一用，餘力用到文學的正面。伏爾泰的意義比較大，世界性；魯迅比較國民性、三十年代性。

引伏爾泰一首「客廳詩」：

昨夜夢中一頂皇冠戴在我頭上
還有一位聖潔的女士，我愛
醒來時，睡神已留下一件最好的東西給我
我不過失去一頂皇冠

講啟蒙運動，我們僅限於百科全書派。十八世紀產生新觀念、新知識。反抗暴政、反迷信，這種直到今世的新觀念，都在《百科全書》字裡行間——《百科全書》不能理解為我們今日的《百科全書》。此書是連續出版的。第一冊一七五一年出，末一冊一七七二年出，前後歷二十一年。在巴黎，這偉大的工程是狄德羅完成的，完全由他的智、仁、勇完成。

狄德羅（Denis Diderot，一七一三—一七八四），寫過劇本、小說，也是哲學家。這些都是次要的。主要的是，他的姓名和《百科全書》永遠連在一起。

緣由：一出版商提議，請他仿英國《百科全書》，出一部法國的《百科全書》。但一動手，他的工作就超出了常規的範圍（技術性、工具性、參考性），涵蓋了人類思想行動的各個範疇，尤其注重民治主義信條：國家政府之第一要務，乃要顧及人民的幸福。

伏爾泰、布封（Buffon，一七〇七—一七八八）等等，都是此書的撰稿人。伏爾泰致狄德羅的信上說：「你主持的工作，如巴比倫造塔的工作。好的，壞的，真的，假的，悲的，喜的，統統挑攏起來。有的文章如貴公子寫的，有的如廚下僕人寫的。」

書中的反抗性、叛逆性很強，愈寫愈露骨，後來只得秘密出版。狄德羅幹了二十年，年入不過一百二十鎊。他是知識的傳道者，不信神，認為只有知識和道德能拯救人類。這一點，他比伏爾泰、盧梭更徹底。尼采起來後，反對啟蒙運動——理性主義從那時起——我起初也認為知識、道德能拯救人類，後來信服尼采。但那是人類的錯，不是《百科全書》的錯。

狄德羅精力旺盛，還翻譯過許多名著。自己也有創作，文筆很好，如《拉摩的侄兒》（*Le Neveu de Rameau*）。歌德好此書，翻成德文。

狄德羅還是舞臺和繪畫藝術的批評家。

評狄德羅，我說：他相信的少，希望的多。而我，我們，恐怕相反：相信的多，希望的少。

十八、九世紀所期望於二十世紀的，不是像我們現在這樣的——這些話只能對孟德斯鳩說說。我走後，孟德斯鳩會對夫人說：這個中國客人真是斯文，真是惡毒。

狄德羅，寫《拉摩的侄兒》。歌德好此書，翻成德文。

博馬舍（Pierre Beaumarchais，一七三二—一七九九），父親是個鐘錶匠。他天性逸樂，運氣也好，常旅遊，盡力激起法國人對美國獨立運動的關心，竟至於晚年被人設罪名「不關心法蘭西」而被逐出法國。作品有《費加洛的婚禮》（*Le nozze di Figaro*），《賽維利亞理髮師》（*Le Barbier de Séville*），據說拿破崙愛看此書。

博馬舍，寫《費加洛的婚禮》。

讓-雅克·盧梭（Jean-Jacques Rousseau，一七一二—一七七八），《懺悔錄》（*Les Confessions*）的作者，在十八世紀是大人物。生於日內瓦，父為鐘錶匠。比起伏爾泰從小生活豪華、出入上流社會，盧梭出身中下層社會——成就不論階層的高下，但氣質是有影響的。我們不能想像屈原出身下層。

伏爾泰重理性，盧梭重感情，主張回歸自然、原始——兩人都不太平。盧梭攻擊伏爾泰，與狄德羅吵架。

盧梭一生經歷特別。初任書吏助手，後為雕刻匠學徒，十六歲離家漫遊。後得貴婦人華倫夫人供養，去希臘做一位主教的秘書，還自己發明記譜法。後來他到威尼斯，當法國公使的秘書，也在巴黎任《百科全書》作者。三十七歲，成書《論科學與藝術》（*Discours sur les sciences et les arts*），發表野蠻人比文明人更高明的觀點，成名。又成書《新愛洛伊斯》（*Julie, ou la nouvelle Héloïse*），提倡感情至上。十年後，發表《民約論》（*Du contrat social*，中國今譯《社會契約論》），小說《愛彌兒》（*Émile*）。

盧梭，文學上的位置，就憑一部《懺悔錄》。

《民約論》是政論，被稱為「革命的聖經」。這種書，我們要有一個歷史的坐標來看：現在看，不過ABC，可當時的皇權、教會統治那麼長年代，盧梭出此說，真是偉大：

> 人生來自由，但無往不在枷鎖之中！

比《共產黨宣言》偉大多了。在十八世紀真是有如大敲其鐘，噹、噹、噹！

中國到今天還做不到。遠遠做不到。

這個人了不起的。「由個人專制變為全民的權力。」二百多年來，全世界喊的都是盧梭的口號。

文學上的位置，就憑他一部《懺悔錄》。此書第一次，也是第一人，說：「我願完全無遺地表呈自己。」「我非常壞，你們更壞。」

我年輕時相信他坦白。最近我又讀一遍，心平氣和。

他不坦白。沒有一個人，從來沒有一個人，真正暴露自己，打開自己的靈魂。不可能的。

這方面，最有意思要算托爾斯泰，日記裡真會老實寫出一些花樣。新婚之夜，也真把婚前事抖給索菲亞聽，索菲亞難受死了，可是托爾斯泰還是把最該挑明的問題掩蓋了。

什麼是真正的真誠的坦白的呢？

我的回答是：「我知道這是應該坦白的。我不敢說。」

只能坦白到這一層。再說，好意思說的，不一定好意思聽——我這樣說，已經很坦白。

我只寫回憶錄，不寫懺悔錄。

《懺悔錄》中寫景寫情，文筆好，但不如歌德的《少年維特的煩惱》好。盧梭長得很俊，這類人都長得滿好看，這是他們的本錢。

餘從略。再說一句：十八世紀法國文學，是重理智的，是散文的法國，不是詩的法國。

十八世紀德國文學，有稱霸歐洲之勢

我們現在遊歷到德國。

十七世紀德國同當時的英法相比，很慚愧，沒有什麼文學。到了十八世紀，忽然像一棵樹，長高，繁盛，開花結果，不僅能媲美英法，且有稱霸歐洲的勢頭。到歌德，橫跨十八、九世紀，尤為光華絢爛。

十八世紀德國文學，腓特烈大帝（Frederick the Great，一七四〇—一七八六年在位）有一份功勞。這位歐洲最有力的國王不算一個好主顧，吝嗇鬼，但他愛招致文士，自己也寫詩，自命風雅，「髒襯衫」很多。

文學藝術是充滿生機的。或曰：文學藝術本身就是生機。統治者不去管它，它自會發芽滋長。如果統治者給點養料，馬上蓬勃發達。

中國「五四」運動，相對說是百年來最自由的。皇權剛剛滅亡，國民黨手忙腳亂，民間自行實行一種真實的百花齊放、百家爭鳴。文學藝術家沒有一個靠國家薪俸，很苦，互罵拿盧布、美元，其實都很窮。古代，最後一條路是隱退，或做和尚，或進修道院。中外皇帝不約而同都給你一條退路，但到我們，沒有退路了。

我說這些，說明文藝不需要提倡，也不需要經濟起飛的，只要一點點自由，就蓬勃生長。這麼說來，文學藝術多麼可愛，多麼可憐。

我們現在自由了，快去寫去！

戈特舍德（Johann Christoph Gottsched，一七〇〇—一七六六），重理智，認為文學應遵守格律規則。劇本受法國劇作家影響。應該說十八世紀的德國文學，他是先驅者，但本身成就不高，模仿多於創造。

克洛卜施托克（F. G. Klopstock，一七二四—一八〇三），初以短歌出名，後以小說占文壇地位。大著《救世主》（*Der Messias*）歷二十五年而成，長詩，以耶穌為主人翁。

威蘭（C. M. Wieland，一七三三—一八一三），介紹莎士比亞進德國的文學功臣，耗費六十多年，翻譯二十多種莎劇——原來德國人到那時才看到荷馬和莎士比亞。

其時出文藝批評家，德現代文學有了生命。現在看「五四」，對西方文藝的火候是不夠的。翻譯是很旺盛，我在十八、九歲時就讀到本雅明·貢斯當（Benjamin Constant）的《阿道爾夫》（*Adolphe*），法貝·路易斯（Pierre Louÿs）的《阿芙羅狄德》（*Aphrodite*）等，都有譯作，量多、面廣——然而到現在沒有出一個正面的大批評家。

萊辛（Gotthold Ephraim Lessing，一七二九—一七八一），美學著作《拉奧孔：論詩與畫的界限》（*Laokoon oder über die Grenzen der Malerei und Poesie*），畫畫的都知道。萊辛曾任報紙編輯，寫過不少劇評，做過圖書館主任。此三職很適合他，成就他此後的批評大才。他寫過《戲院史》，也寫過悲劇，希臘風。一般認為，他使德國人拋卻對法國戲劇的模仿，改向對希臘悲劇和英國莎士比亞的研究。他著有評論集《漢堡劇評》（*Hamburgische Dramaturgie*），據說至今對戲劇有影響。我相信。

最著名著作《拉奧孔》，被稱為十八世紀最偉大的批評著作。如何評價這本書？請歌德發言：

> 《拉奧孔》使我們由狹隘的可憐的觀察，轉為自由的思想的馳騁。

歌德、席勒，深受萊辛批評原理的指導。

萊辛此書名為《拉奧孔》，因其立論以希臘雕塑名作《拉奧孔與兒子們》（*Laocoon and His Sons*）與維吉爾（Virgil，公元前七〇—前一九）史詩《埃涅阿斯紀》（*Aeneid*）中的拉奧孔為出發點。

拉奧孔是希臘傳說中的預言家、智者。當希臘攻打特洛伊時，希臘人以木馬藏兵，置於城門，特洛伊人欲取。唯拉奧孔識破此計，竭力阻止，因此觸怒希臘保護神，神便派巨蟒將拉奧孔與他兩個兒子纏咬死了。而特洛伊人不聽其勸，取木馬入城，馬中兵出，最終攻陷特洛伊。《拉奧孔與兒子們》雕塑即表現父子三人被蛇纏咬一瞬間的情狀，而維吉爾史詩描寫他們被蛇絞繞，痛苦掙扎的過程。

萊辛因此認為：詩與雕刻不同。詩中寫拉奧孔，寫詳細過程。雕刻不能如此，是動而不亂，悲而不狂。

此說有何稀奇？

我答：古希臘人對此，生而知之，德國人生而不知，連歌德、席勒也覺得他說得有理。

當時他能如此雄辯、詳細地說出來，不容易，說明當時萊辛比別人醒得早。他能引人入勝，而又非常真摯誠實。

萊辛真正吸引我的，是他的性格。他的文章能表現他的性格。我欣賞含有作

萊辛，歌德、席勒深受其批評原理的指導。

者體溫的文章。

可以稱萊辛為老同志。他從來不立教條，且先後時有矛盾，自己來解釋，解釋不了時，笑笑。我沒這好處。我寫文章故意製造許多矛盾，你發現，是我的陷阱——我從來不在作品裡說什麼是對的，什麼是錯的。我一手持矛，一手持盾，希臘人死也不扔盾，我是矛、盾都不扔。

但我因此愛萊辛的老實。他有驚人的表白：

如果上帝右手拿著一切真理，左手拿著追尋真理的勇氣，對我說：「你選擇。」我將謙卑地跪在他的左手下面，仰面道：「父親，給我勇氣吧，因為真理只屬於你！」

好！好在這就是古典。

歌德一定偷偷地把這話記在本子上。歌德也說得好：「只有一個同樣偉大的人，才能瞭解萊辛。對於凡俗之輩，萊辛是危險的。」

我倒想成一本書，書名：《萊辛的危險》。一個人只要高超一點，對人就是危險的——高超太多，危險就大。

所謂高超：前面的九個問題都已知道了，來談第十個問題。前面九個問題都不知道，還談什麼？

許多事只能講講俏皮話——「我思故我在」、「真理並非不可能」。潑婦曰：那我不思，我就不在嗎？真理到底有沒有？說！

匆匆表過，下次講歌德與席勒。

第37講

歌德、席勒及十八世紀歐洲文學

《少年維特的煩惱》《愛的親合力》《威廉·退爾》賈梅士　卡拉姆津

1991.2.9

文學要有讀者，宿命的是，文學很難得到夠格的讀者。當時多少少年讀《維特》後都自殺，這種讀者我不要。至少不提倡這種作者與讀者的關係。

《浮士德》，一共一萬二千行，簡直是座大山！

詩靠靈感，靈感哪來一萬二千行！法國斯塔爾夫人第一個説出，《浮士德》是寫不好的。真聰明。第二個是海涅。第三個是我——第一個説老實話，第二個説俏皮話，第三個説風涼話。

把浮士德提高到整個歐羅巴文化的精神象徵，這是歌德了不起的功績，我由衷欽佩。從文學角度説，《浮士德》不成功；從文化現象講，《浮士德》偉大。

先講剛才我在路上想到的事：世上有許多大人物，文學、思想、藝術等等家。在那麼多人物中間，要找你們自己的親人，找精神上的血統。這是安身立命、成功成就的依托。每個人的來龍去脈是不一樣的，血統也不一樣。在你一生中，尤其是年輕時，要在世界上多少大人物中，找親屬。

精神源流上的精神血統：有所依據，知道自己的來歷。找不到，一生茫然。找到後，用之不盡，「為有源頭活水來」。西方也把《聖經》叫做「活水」。

伊莎多拉．鄧肯被問及老師是誰，答：貝多芬、華格納、尼采。

其實哪個教過她？但她找對了。只要找對了，或成功，或不成功，但絕不會失敗。

聽到貝多芬的一段，看到歌德的一言，心動：我也如此感覺，我也這樣想過，只是沒說出來，或說得沒這麼好——這就是踏向偉大的第一步。

歌德對我的影響就是這樣的。不過精神上、思想上有這血統，技術上不一定如此，要說清楚。

佛教傳衣缽，接續後，就自己發揮——這當中是要換的，從這一家換到那一家，甚至會超越，那是最高的。尼采，我一跟到底。羅曼．羅蘭、高爾基這類，包括紀德，早就分手了，有時還要「批判」他們。

有終生之師，有嫡親的，也有旁系、過房。父母不能太多的——找到了，要細翻家譜，一再研究，一再接觸。講歌德，不備課，隨便講講，也講不完。

多年來，忘不了歌德。

歌德——陽光、雨露均足的半高原

約翰·沃爾夫岡·馮·歌德（Johann Wolfgang von Goethe，一七四九—一八三二），壽長，橫跨兩個世紀，歿於十九世紀中葉。幼時愛聽母親講神話——最初的家教，感慨啊！以前母親、祖母、外婆、保姆、傭人講故事給小孩聽，是世界性好傳統。有的母親講得特別好，把自己放進去。

這種非功利的教育，滲透孩子的心靈。如這孩子天性高，這就是他日後偉大成就的最初種子。

現在，這傳統世界性地失去了。現在的電視教育，就是教人無恥——教得很成功。

歌德的父親，正派人物，要兒子學法律。但他的興趣在文藝、繪畫、雕塑。他去作畫、雕刻、戀愛、寫劇本、經營劇場（他的素描不在各位之下），母親贊成，父親不喜。

「天行健，君子自強不息」就是歌德，也即《浮士德》（*Faust*）這部作品的精神。整個西方文化即浮士德精神。中國也有少數智者知道陽剛是正途，自強是正道，但一上來就趨於陰柔。

我主張正道，是正面地、直接地去陽剛，不得已時，陰柔。

西方文化是陽剛的，男性的，力奪的；中國文化是陰柔的，女性的，智取的——不過，這是指過去的傳統。現在東西方文化都敗落了，談不上了。

他的相貌、體格，也完美體現浮士德精神。死後，人揭布窺其屍，無一處贅肉，無一處枯瘦。

歌德少年時畫畫，青年時代到意大利開眼，窺視了藝術的殿堂，從此放棄畫畫，說：我不是畫畫的。會畫畫的人，不畫時，技巧會進步的，我一不畫，就退步了。

他能自己這樣想，了不起。說是退步，其實是自強。一個人能這麼冷賢，第一是能旁觀自己；第二是能知道自己，做自己的良師益友。

畫畫不畫畫，不要緊。這種公正的自我評斷，才是造成大師的因素之一。

這是小事，大有深意。

讀書，要確切理解作者的深意，不要推想作者沒有想到的深意。上帝創造了這世界，但他不理解這世界；藝術家創造了這世界，他理解這世界。

《少年維特的煩惱》（*Die Leiden des jungen Werthers*），大家可以再讀讀。我最近又讀，很好，元氣淋漓。

文學要有讀者，宿命的是，文學很難得到夠格的讀者。當時多少少年讀《維特》後都自殺，這種讀者我不要。至少不提倡這種作者與讀者的關係。

任何作者，很難看穿讀者。老子說「天地不仁，以萬物為芻狗」（世界上最光輝的警句：一，想到了；二，說出來了；三，講得那麼美妙），我說：作家不仁，以讀者為芻狗。

歌德，窮五十八年寫《浮士德》。從文化現象講，《浮士德》偉大。

這樣天地才能大，這樣才能有偉大的讀者來。最好讀者也不仁——作者不仁，讀者不仁，如此，「仁」來了。

歌德寫《維特》時，很高興，二十五歲，正是心智最旺盛時。「寫得其時」，是他的福氣（我寫過：老得很早，青春消逝得很遲，是藝術家）。

之後十二年間，寫許多劇本。《艾格蒙特》（*Egmont*）、《伊菲格妮》（*Iphigenie auf Tauris*）、《塔索》（*Torquato Tasso*），此三本最好。後來窮五十八年寫《浮士德》。情節太多，不講了。

音樂上的浮士德節目，可以開單子——

李斯特：《浮士德交響樂》，可以聽。

馬勒：《第八號交響曲》第二部分。

白遼士：歌劇《浮士德的天譴》，寫浮士德。

博伊托：歌劇《梅菲斯特費勒斯》（*Mefistofele*）。

古諾：歌劇《浮士德》。

布索尼：歌劇《浮士德博士》（*Doktor Faust*）。

舒曼：管弦樂、獨唱、合唱，統稱《浮士德場景精選》。

華格納：《浮士德序曲》。

我只寫了〈浮士德的哈欠〉。太難寫了，吃力不討好。龐大的主題常會引起我對哲理性的欲望，可是我數過《浮士德》，一共一萬二千行，簡直是座大山！小時候初讀，讀不進去，成年時再讀，也只喜歡「序曲」、「書齋」這些開頭部分，直到去年才一口氣讀完。歌德寫了五十八年，我讀了五十八年，他成功了，我失敗了——寫不好呀，這樣的題材，用這樣的方法，注定寫不好的。

詩靠靈感，靈感哪來一萬二千行！法國斯塔爾夫人第一個說出，《浮士德》是寫不好的。真聰明（她是拿破崙的死對頭，據說拿破崙的一個軍官進到她的客廳，兩小時後從那兒出來，就反拿破崙）。第二個是海涅。第三個是我——第一個說老實話，第二個說俏皮話，第三個說風涼話。

講個典故：海涅訪歌德。歌德問：「在寫什麼近作？」海涅諷：「寫《浮士德》。」歌德窘怒，說：「你在魏瑪還有什麼事？」海涅邊退邊說：「進閣下殿，諸事已矣。」——都不讓。

藝術不是以量取勝。但解決了量的問題後（求質），則量愈多愈好。一個人有無才能，是一回事；有才能，能不能找到題材，又是一回事。許多人才高，一輩子找不到好題材，使不上好方法，鬱鬱終生。

聖伯夫給了福樓拜題材。福樓拜先寫過《聖安東尼的誘惑》，宗教一類。聖伯夫請福樓拜看紀實新聞，遂成《包法利夫人》。

在座各位，就是苦於找不到題材，找不到方法。怎麼找法？只有拼命去找。找不到，自我埋沒；找到了，自強，參悟。

歌德最後的作品《威廉．邁斯特的學習時代》（*Wilhelm Meisters Lehrjahre*），寫得不好（找對以後，還是會找錯的）。還有一本《愛的親合力》（*Die Wahlverwandtschaften*），或譯《愛力》，寫得非常好。兩對男女，遊樂中發現「你的太太與你不合而合於我」，對方也是，都找錯。最後一個死，一個殉情。我以為這是他最好的小說。

如果把《浮士德》看成全世界文學頂峰，全世界錯。

浮士德是北歐民間傳說中的煉金術士，性格模糊，形象也窩囊，近乎妖道。歌德藉了這題材，把浮士德提高到整個歐羅巴文化的精神象徵，這是他了不起的功績，我由衷欽佩。從文學角度說，《浮士德》不成功；從文化現象講，《浮士德》偉大。

我承認《浮士德》在命題上的偉大。

約翰．克利斯朵夫，算是一種「典型」的期望。是什麼呢？什麼也不是。典型是牽強附會的，見樹不見林的，一廂情願的。如果藝術不偉大，不可能表達民族。血是藝術家自己的血，血管是民族文化的血管——才行。

偉大的藝術來自偉大的性格，藝術是無法培養的。

「與公瑾交，若飲醇醪，不覺自醉。」性格交友要鍛鍊到如此。

歌德所謂自強：他最會自我教育。約八十次戀愛，可是都成功，因為他迷途知返。我說：「戀愛總是成功的。」為什麼呢？你愛，那就成功了。歌德曾說：「假如我愛你，與你無涉。」全世界欣賞這句話。

他有格言：回到內心。其實陶潛的〈歸去來兮辭〉，就是回到內心。要學會自我教育，才能有良師益友。生活上可以做光棍，精神上可別做光棍。

《歌德對話錄》（*Gespräch mit Goethe*，愛克爾曼〔Eckermann〕著），是我們藝術家的福音。我最早的自信來自歌德，心中暗暗大喜。紀德說得好：歌德不是高山，不是大海，他是陽光充足雨露滋潤的半高原。

海涅一貫調皮，得理不饒人。他說：「歌德老是坐著的，好多事需要他站起來，才能解決，但歌德坐著也是對的。」廟堂裡的佛像都是坐著的，如果站起來，豈非廟堂的頂要破。

前年初春，我忽然記起歌德和海涅的舊事，寫了一篇〈浮士德的哈欠〉——交朋友，要交大朋友；較量，也要找這樣的大人物。歌德和海涅見面，我看，兩個都是冠軍。

自信，必須要的，這可測試一個人高貴卑下。見名人，要見其人，不見其名。歌德去見拿破崙，拿破崙站起來，向群臣說：「看，這個人。」這是當年耶穌出現時，羅馬總督彼拉多說的話，尼采拿來作書名（《瞧，這個人》）。

大多數人是只見其名，不見其人。

歌德死於一八三二年，壽八十三歲。

席勒——自由、鬥爭的熱情家

弗里德里希・席勒（Friedrich Schiller，一七五九—一八〇五），父為軍醫。席勒初進軍醫學校，後學法律。性情寡合，飄遊，一生做過軍醫、編輯、劇場經理、歷史教授。在與歌德見面之前，雙方都不以為然。初見，話不投機，後來見面，漸漸談攏，談了幾天幾夜。

據說斯坦尼斯拉夫斯基（編按：Konstantin Stanislavsky，一八六三—一九三八，蘇聯戲劇家）與丹欽科（編按：Nemirovich-Danchenko。兩人於一八九七年成立「莫斯科藝術劇院」）見面，談了四天四夜。這很幸福。初不以為然，終以為然：友誼也是有頓悟的。我們讀書可惜不能面見作者。現實中遇到知音，多幸福！

席勒的主要作品是劇本。當時劇本中的對話，以詩成文。純詩他也寫。特

席勒，性情寡合，飄遊，《威廉．退爾》是他最後最大的作品。

點：技法精明，情節動人。他是個「熱情家」，不是熱在兒女情長，而熱在自由、鬥爭。

第一個劇本是《強盜》（*Die Räuber*），首演即獲成功。其他代表作如《華倫斯坦三部曲》（*Wallenstein*），《奧爾良的女郎》（*Die Jungfrau von Orleans*），寫貞德。《威廉．退爾》（*Wilhelm Tell*）是他最後最大的作品，取材瑞士民間半真實半傳說的英雄故事。歌德與席勒談到他想為威廉．退爾寫一部史詩，遲遲不成。席勒說：我來寫吧。結果得了大成功。劇中以阿爾卑斯山作背景，為國獻身的英雄引吭高歌，牧人和樵夫齊聲伴唱，旭日，黎明，勝利的消息……反正十八世紀的歐洲人最愛看這種戲。

席勒的敘事詩也寫得好。與歌德合出詩集。

他身體差，精神旺，最後邊吐血邊寫作。我專題寫過一篇席勒死前的痛苦，寫精神強、肉體弱的悲劇：

他知道飛去哪裡，但羽毛散落了，從雲間跌下來。

歌德（左）與席勒在魏瑪的銅像。歌德平時喜怒勿形色，唯得知席勒死訊，雙手掩面如女子般哭泣，後來說：「我一半的生命死去了。」

我們都要注意身體。靈魂是演奏家，身體是樂器。身體好，才能公正、全面地思考問題。

世上有幾對偉大的朋友，席勒與歌德是模範，至死不渝。每年元旦，兩人都要寫信祝賀，一八〇五年，歌德無意中寫上「最後的一年」，驚覺不對，換了紙重寫，又出現「我們兩人中，總有一個是最後之年」。

席勒終於是年死。

歌德平時喜怒勿形色，唯得知席勒死訊，雙手掩面如女子般哭泣，後來說：「我一半的生命死去了。」

這等友誼哪裡去找啊。我苦苦追尋不得，只剩一句俏皮話：「兩個人好得像一個人——那麼我一個人也可以了。」

壽四十六歲。通常銅像都獨自站，歌德、席勒的銅像在一起。你們以後去魏瑪，好好看看。

再度甦醒的南歐文學

十八世紀，南歐重又醒來。

意大利曾是文藝復興中心，之後卻不復興了。由此看人類歷史，不是什麼進步退步，而是進進退退的。這就是歷史的景觀。十五世紀，意大利復興了，那麼一直興下去呀，可是後來不興了。她曾是歐洲知識與智慧的領袖，十八世紀就要向英法借光。

意大利的哥爾多尼（Carlo Osvaldo Goldoni，一七〇七—一七九三），被稱為「意大利的莫里哀」，是演員、戲劇家，又是文學家。

生長於威尼斯，溫和開朗，多寫喜劇，一生寫了一百多本。歌德曾在威尼斯看過哥爾多尼的戲，說觀者的笑聲從頭到尾不斷。晚年遷居巴黎，到大革命時期，死於貧窮，人們忘了哥爾多尼和他喧嘩的歡樂。

藝術家別在乎讀者。把衣食住行的事安排好，而後定心只管自己弄藝術。別為藝術犧牲。為藝術犧牲的藝術家太多了。犧牲精神太強，弄得藝術不像話了。

哥爾多尼八十歲時寫一部自傳，內容真真假假，評家以為不老實。

詩人帕里尼（Giuseppe Parini，一七二九—一七九九），生性快樂多才，有長詩《一日》（*Giorno*），諷刺社會，分早、午、傍晚、夜四部分，寫貴族少年的一日活動。

意大利十八世紀最重要的詩人阿爾菲耶里（Alfieri，一七四九—一八〇三）。從十六世紀開始，意大利悲劇家接二連三，但少有傳世作品，阿爾菲耶里最成功。他生於意大利北部，少時遊歐，回來一無所成，到二十五歲才頓悟，努力。

少年人一定要好的長輩指導。光是遊歷，沒有用的。少年人大多心猿意馬，華而不實，忽而興奮，忽而消沉。我從十四歲到二十歲出頭，稀里糊塗，幹的件件都是傻事。現在回憶，好機會錯過了，沒錯過的也被自己浪費了。

阿爾菲耶里寫成十九部悲劇，六部喜劇，許多短歌，不仿莫里哀，近希臘傳統。

西班牙文壇自塞萬提斯後，到這裡，始有活氣。

維加（Lope de Vega，一五六二—一六三五），詩人、劇作家，青年時任貴族秘書。少有人如維加，能在當時就受到大讚賞（上帝給人禮物，要嘛在前，要嘛在後，不會前後都給的）。他寫過一千八百多本劇本，但大多數被遺忘了。

卡爾德龍（Pedro Calderón de la Barca，一六〇〇—一六八一），生於馬德里。過了一個時期的兵營生活，也做過牧師。他的詩極富想像力，結構精巧。他也寫劇本，英國雪萊曾譯過他的劇作。

維加（上），西班牙詩人、劇作家。賈梅士（下），葡萄牙詩人之主。

快快轉到葡萄牙。賈梅士（Luís de Camões，一五二五—一五八〇。編按：中國譯作卡蒙斯），被稱為「葡萄牙詩人之王」。十六世紀，葡國統禦海上勢力，出海盜船，賈梅士曾任水手（我從小迷戀那種三桅大帆船，一看見，心跳出喉嚨來）。他的史詩《路濟塔尼亞人之歌》（*Os Lusíadas*），歌頌航海者達伽馬遠航印度的事蹟。

丹麥、瑞典文學

往北去。斯堪地納維亞半島。現在那兒好極了，當時一片荒涼，文學鄉巴佬。到十七世紀出了一個**霍爾堡**（Ludvig Holberg，一六八四—一七五四），丹麥／挪威人（當時為一國），留學英國，戲劇家。

十八世紀後半是丹麥戲劇啟蒙時期，出悲劇家歐倫施萊厄（Adam Oehlenschläger，一七七九—一八五〇）。其詩《有一處好地方》（*Der er et yndigt land*），後來是丹麥的國歌。

再提到瑞典。瑞典也才剛醒來，哪有諾貝爾獎委員會？**謝恩赫爾姆**（Georg Stiernhielm，一五九八—一六七二），是第一位詩人，有史詩《赫拉克勒斯》（*Hercules*。編按：Hercules為拉丁名）。請注意，歐洲無論南、北、大、小國族，都有史詩。

另一位達林（Olof von Dalin，一七〇八－一七六三），是批評家、詩人，有英雄詩篇《瑞典的自由》（*Swenska friheten*）。最重要的貢獻，是著四卷本《瑞典國史》（生前完成三卷）。

瑞典國王古斯塔夫三世（Gustav III，一七七一－一七九二年在位），是個文藝的保護者，建瑞典學院、瑞典劇場，自己也寫不差的劇本。

俄國文學

俄羅斯，十九世紀是文學泱泱大國，但是十八世紀的俄國幾乎談不上文學。除了流傳的史詩、史記，沒有小說，連抒情詩也沒有。最早的啟蒙人物是羅蒙諾索夫（Mikhail Lomonosov，一七一一－一七六五），曾留學德國，功勞是拿莫斯科方言改訂國語，製作了俄文的文法，被稱為俄羅斯文化的奠基人。

十八世紀，俄國最大的作家是卡拉姆津（Nikolay Karamzin，一七六六—一八二六），寫成八大本《俄羅斯國家史》（*Istorija gosudarstva Rossijskogo*），誠巨作。也寫過小說《苦命的麗莎》（*Bednaya Lisa*），寫村姑愛貴族而自殺云云，當時感動許多少年，遠途跋涉到書中主角麗莎自殺的池旁，哭泣憑弔。

到了下一世紀，千古不朽的俄羅斯文學登場了。

羅蒙諾索夫（上），十八世紀俄國文學的啟蒙人物。
卡拉姆津（下），俄國十八世紀最大的作家。

第38講

十八世紀中國文學與曹雪芹

孔尚任《桃花扇》楊觀潮　蔣士銓　曹雪芹《紅樓夢》

1991.2.24

漢賦、六朝駢文、唐詩、宋詞等等古代文學形式，在清初這一百年內重新出現，《紅樓夢》即是集大成者。

中國的《西廂記》、《桃花扇》，我以為可以和莎士比亞媲美。都是完美的悲劇，不以生旦團圓為結局，莎士比亞若識中文，看後會佩服，文字更是優美。

都說曹雪芹就是賈寶玉，其實據資料，曹的性格一點不像賈寶玉（說是自傳體小說，我以為藝術家和藝術品是不相干的。米開朗基羅像大衛嗎），可靠資料：曹高大魁梧，黑膚，聲洪亮，一點沒有南方文人的娘娘腔。我相信，這是大師相。

我們活在二十世紀的幸運，是不必再靠「釋」、「道」這兩根拐棍行走了。

上次說過，中國失去一個在現代強盛的歷史契機。

明朝徐光啟與利瑪竇把西方文明傳入時，幾乎條件具備，可使中國中興，可惜錯過了。到十八世紀，又有一個歷史契機到來——也給錯過了。

康熙、乾隆，近百年承平，外交成功，內部無大亂，可媲美唐朝的開元、天寶年代。乾隆是比較享樂的，康熙則開明而有才華，本人對基督教、天文、藝術（音樂的和聲也包括）、人文等西方文化，都感興趣而研究。

總之，康熙非常通達，對西方宗教、文明、文化，皆雅好。

例：西人指出中國人拜祖宗，不必拜牌位，搞偶像崇拜。康熙答，紀念祖宗應該有畫，但畫不像，不如拜祖宗名字（牌位），不是搞偶像崇拜。

他有頭腦，有為。

康熙的後半期，至嘉慶初年（康熙、嘉慶是年號），值十八世紀，是近代中國的全盛期。一般說起清，都說腐敗，其實大不然。

還有一點常識：康熙、乾隆，不應稱「皇帝」，而是年號。康熙名玄燁，世稱清聖祖。

那時沒有大學，已有講官，相當於教授。時出《康熙字典》，出《古今圖書集成》，開「博學鴻詞科」（唐開元年間，曾設「博學宏詞科」以考拔淵博能文之士。宋南渡後也置此科。清則改「宏」字為「鴻」），是高層的學術權威集團。

康熙之後，有乾隆時期，也是年號。野史說，乾隆不是清朝後代，所有清皇都是長臉，乾隆是方圓臉，說他是海寧人，暗中被掉包的。

清高宗，名弘曆，即乾隆皇帝。編《四庫全書》。當時國富民強，文藝茂盛。不可避免仍有文字獄，但主要與重要的文人未受累（明朝文字獄厲害，不敢寫，故晚明唯出小品）。漢賦、六朝駢文、唐詩、宋詞等等古代文學形式，在清初這一百年內重新出現。《紅樓夢》即是集大成者：有賦，有文，有詩，有詞，有曲，有傳奇，且極富作者個性。

這一百年是值得肯定的。

屈原、李白、杜甫、曹雪芹活到現在，只能自費出國。諸位不應以為笑話。

這一百年文藝作品菜單大要：

孔尚任——《桃花扇》。

洪升——《長生殿》。

曹雪芹——《紅樓夢》。
吳敬梓——《儒林外史》。
黃仲則的詩。
還有紀曉嵐、袁枚的筆記。
黃仲則的詩，我推崇，可比近代中國的蕭邦。

排排我們的情況：從一八九一年到一九九一年，有什麼文學？《子夜》？《家》？《金光大道》？《歐陽海之歌》？不能比。比較起來，只有《阿Q正傳》。可惜質薄量少。

這一百年是文學的荒年。

老子說，大戰之後必有荒年，我看是荒年之後，必有大戰——大戰荒年、荒年大戰，即中國近代史。

希望在海外。說起來能自由立足，又能痛定思痛（因為大陸是痛不完的痛）。如果成功，是「文藝復興個體戶」。

中國不是說「走著瞧」嗎？要在國外走著瞧：瞧中國。

孔尚任《桃花扇》——完美的悲劇

當時無論傳奇、雜劇，都產生傑出人物：孔尚任、洪升之外，有舒位、楊觀潮、萬樹、蔣士銓、桂馥。都有一共同點：對白流利，述說真摯親切，趣意新鮮，風格委婉。

孔尚任（一六四八—一七一八），字季重，號東塘，又稱雲亭山人。曲阜人，一說是孔子後代。官至戶部主事，低於尚書。戶部，指戶口田稅，自三國始設此部，民國時稱財政部。

兩本最著名：《桃花扇》、《小忽雷》。前者得不朽名（當時有「南洪北孔」之說），共四十齣。主角侯方域，女主角李香君。故事有實據，滲透亡國之痛，與從前才子佳人悲歡離合不同。最精彩是文字流利，我小時候讀，愛到至於手抄，有快感。

後來，在杭州還聽過夏承燾專門講《桃花扇》。

中國的《西廂記》、《桃花扇》，我以為可以和莎士比亞媲美。都是完美的悲劇，不以生旦團圓為結局，莎士比亞若識中文，看後會佩服，文字更是優美。可是中國文學兩大致命傷：一是無法翻譯；二是地方性太強。

翻譯是對原著的殺害。

《桃花扇》當時奏演極盛，明室的故臣遺老觀此劇，淚如雨下。孔尚任有一特點：正面而不加貶褒，以人物說話。他懂得顯示藝術，隱藏藝術家。文字精練完美，通篇無一處懈怠。

另有顧彩，孔的友人，改寫《南桃花扇》，使劇中人團圓，結果沒人看，淘汰了。像顧彩那種朋友，我不要。

《桃花扇》明顯影響了《紅樓夢》。黑板上抄〈哀江南〉：

【北新水令】山松野草帶花挑，猛抬頭秣陵重到。殘軍留廢壘，瘦馬臥空壕；村郭蕭條，城對著夕陽道。

洪升、楊觀潮、蔣士銓等文學家

洪升（一六四五—一七〇四），雜劇有《四嬋娟》，寫四位傑出的女性，首位即謝道韞，可謂中國的女思想家，魏晉人。第二位女士是衛夫人，第三位是李清照，第四位是管夫人（即趙孟頫夫人，大畫家，善畫竹）。四嬋娟名：詠雪、簪花、鬥茗、畫竹。

洪之《長生殿》，我不推崇（楊貴妃不是一個情種）。是愛情上的公式化概念化。

萬樹（一六三〇—一六八八），字花農，宜興人，做過官。每寫成作品，請家伶奏樂吟唱。傳奇八種。中國士大夫也曾如奧地利和德國，晚宴後即是四重奏，飲酒必行令，行令必吟詩。這種風氣，全沒了。

值得讚賞是楊觀潮（一七一〇—一七八八）。寫短劇，機智爽快。我特別喜歡《偷桃捉住東方朔》，這喜劇比莎士比亞絕對不差，難得中國戲劇纏綿悱惻拖拖拉拉之中，有楊觀潮的爽辣。他有莎士比亞之才，但我說過的，中國只有零零碎碎的莎士比亞。

楊觀潮《偷桃捉住東方朔》（節引）：

（丑）在他門下過，怎敢不低頭！東方朔見駕。

（旦）你怎敢到我仙園偷果？

（丑）從來說，偷花不為賊。花果事同一例。

（旦）這廝是個慣賊，快拿下去鞭殺了罷！

（丑）原來王母娘娘這般小器，倒像個富家婆。人家吃你個果兒也舍不得，直甚生氣！且問這桃兒有甚好處？

（旦）我這蟠桃非同小可，吃了是髮白變黑，返老還童，長生不死。

（丑）果然如此，我已吃了二次，我就盡著你打，也打我不死。若打得死，這桃又要吃它做甚？不知打我為甚來？

（旦）打你偷盜！

（丑）若講偷盜，就是你做神仙的，慣會偷。世界上的人那一個沒職事？偏你神仙避世偷閒，避事偷懶，圖快活偷安，要性命偷生。不好說得，還有仙女們，在人間偷情養漢。就是得道的，也是盜日月之精華，竊乾坤之秘奧。你神仙那一樣不是偷來的？還嘴巴巴說打我偷盜！我倒要勸娘娘不要小器。你們神仙吃了蟠桃也長生，不吃蟠桃也長生，只管吃它做甚！不如將這這一園的桃兒，盡行施舍凡間，教大千世界的人，都得長生不老，豈不是大慈悲、大方便哩！【鎖南枝】笑仙真太無厭，果然餐來便永年，何得伊家獨享！不如謝卻群仙，罷了蟠桃宴，暫時破慳結世緣，與我廣開園，做個大方便！

（旦）看你這毛賊倒說得好大方，我仙果豈能容忍凡人隨便嘗！

（丑）只是我還不信哩。你說吃了髮白變黑，返老還童。只看八洞神仙，在瑤池會上，不知吃了幾遍，為何李嶽仍然拐腿，壽星依舊白頭？可不是搗鬼哩，哄人哩！

（旦）既如此，你為何又要來偷它？

（丑）我是口渴得很，隨手摘二個來解解渴，說甚麼偷不偷！

桂馥（一七三六—一八〇五），字冬卉，曲阜人，也寫短劇。熱中於寫愛情。古代中國的愛情小說千篇一律，我看了就心煩，故從略。

夏綸（一六八〇—一七五三），字惺齋，錢塘人。劇中一味寓教訓，忠孝節義，看了也心煩，從略。他竟會寫諸葛亮不死而滅魏、吳，使蜀漢統一天下，簡直該打屁股。

蔣士銓，乾隆進士，詩文皆有名，劇本最好。

蔣士銓（一七二五—一七八四）是大人物，字苕生、心餘，號藏園、清容，江西鉛山人。乾隆二十二年進士，官至編修，詩文皆有名，劇本最好。細膩修雅，雍容慷慨，有才華又有閱歷，故能情理深切。有曲九種，其一寫文天祥（《冬青樹》）。還有《臨川夢》，寫湯顯祖，把湯劇作中人物（「四夢」）放在一起，湯顯祖本人也出現。

作者與作品中的人物面對面，構想很有意思，不過容易流於油滑，殺風景。

唐英（一六八二—約一七五四），京劇《釣金龜》、《遊龍戲鳳》，皆出於他手。

從空中鳥瞰《紅樓夢》

十八世紀中國的小說和散文，第一是《紅樓夢》，二是《儒林外史》，三是《綠野仙蹤》。散文是筆記小說，紀曉嵐的《閱微草堂筆記》等。

《紅樓夢》，不必說故事了，我講我的觀點和一點推理。

《紅樓夢》與《水滸傳》、《金瓶梅》、《西遊記》，可並稱四大小說。《西遊記》談仙佛鬼怪，胡天野地，容易寫長；《水滸傳》寫一百零八將，每一個好漢有一個故事，也不難鋪陳；《金瓶梅》、《紅樓夢》，一家一門，無奇瀾，無襯景，從方法上講，很高明，很現代。

世界範圍看，也有四大小說。其中《源氏物語》、《聖西門回憶錄》、《追憶似水年華》和《紅樓夢》一樣，都是回憶文學。評判曹雪芹與普魯斯特的高下，我不願。《源氏物語》的紫式部，開頭寫得很好，愈到後來愈不行——錢稻孫譯的《源氏物語》之首段〈桐壺〉，文筆實在好，有如水磨糯米。

《聖西門回憶錄》我沒看過。

曹霑（約一七一五—約一七六三），字夢阮，號雪芹，另一號為芹圃。祖父曹寅，父曹頫。曹寅是大官，江寧織造，文采好，出過詩、文、劇本。曹家豪富，以康熙六次出巡南方，四次住在曹家可見。也可見曹雪芹幼年生活環境多麼豪華，決定了《紅樓夢》的現實資料。

不過當時曹雪芹只有十歲左右，反證他早熟，對十歲以前的生活記憶確鑿。康熙五十一年曹寅死，後曹頫得罪朝廷，被抄了家，以後敗落至於一貧如洗。他離開南京到北京，住在西山（時年十歲），那地方叫黃葉村。

曹雪芹十歲後這麼窮，處在康乾的太平年間，如他肯就職，不至於窮到舉家食粥，年命四十而斷。

我的推斷：

一，他是一個無政府主義者、虛無主義者，不肯經商做官，僅以賣畫謀生。

二，脾氣大，不願受委屈。

三，是個唯美派，藝術至上者。

四，對自己的天才，有足夠的自信。

五，早就立定志向，為藝術而殉道。

六，他「好像」讀過叔本華、尼采。為什麼？他熟讀釋家、道家經典——佛家的前半段，就是悲觀主義，道家的後半段，就是超人哲學。

佛家以為生命是受苦，道家以陰柔取陽剛（酒神精神）。《易經》句句話嚮往陽剛，但不得已，以陰柔取之。

叔本華是生命意志，尼采是權力意志。曹雪芹大概因此不工作？他躲到西山，那兒沒有居民委員會，有小腳，還沒有小腳偵緝隊。

我的修身原則：一，不工作；二，沒人管；三，一個人。

都說曹雪芹就是賈寶玉，其實據資料，曹的性格一點不像賈寶玉（說是自傳體小說，我以為藝術家和藝術品是不相干的。米開朗基羅像大衛嗎），可靠資料：曹高大魁梧，黑膚，聲洪亮，一點沒有南方文人的娘娘腔。我相信，這是大師相。

我從小討厭徐志摩型的文人，細皮白肉，金絲邊眼鏡，忽而輕聲細語，忽而哈哈大笑。所謂江南才子，最可厭——曹雪芹是北方人的血，又在南方生活過。他的頹廢，是北派的頹廢。我要繼續寫，是南派的頹廢（江南，可分有骨的江南，如紹興；無骨的江南，如蘇州）。

《紅樓夢》有許多名字：一，石頭記；二，情僧錄；三，風月寶鑒（以現代講法，就是愛情百科全書，或愛情懺悔錄）；四，金陵十二釵（「南京優秀女性傳記」）。這些名稱都缺乏概括力，最後還是以「紅樓夢」傳世。曹雪芹很調皮的，喜歡捉弄讀者，但他把這些名字說出來，說明他展示多角度下筆的意圖，等於畫家展示創作的草圖。

《紅樓夢》書名，放得寬，不著邊際，有藝術性。

《水滸傳》寫成時還有十來個讀者，《紅樓夢》當時的讀者只有二、三人，其中有敦誠、敦敏兄弟，也好詩，大雪天與曹雪芹飲酒。

《紅樓夢》八十回，乾隆年間在北京問世，立即傳開。當時沒有出版社，講的講，抄的抄，傳的傳，忙忙碌碌，好像過年。當時，我想沒人知道這是藝術品，更不知道曹雪芹是藝術家。不久就有好多不自量力的人續《紅樓夢》，寫了《後紅樓夢》、《紅樓夢補》、《續紅樓夢》、《紅樓圓夢》、《紅樓復夢》、《綺樓重夢》，凡十餘種，都要把《紅樓夢》結局改為大團圓，後來統統自滅了，留不下來。

只有高鶚補的流傳下來，但不是曹的原意了。

舒伯特《第八號交響曲》（《「未完成」交響曲》），其實是完成的。曹雪芹可憐，沒有完成《紅樓夢》。

大家看《紅樓夢》，戳穿了講，是看故事，看花姑娘，看排場，看細故。怎樣讀才好？從空中鳥瞰：故事在南京大府，弄清楚家譜，「好像我家舅舅」，就可以看下去。曹雪芹的雄心，先編定家譜、人物、關係三大綱，就勝券在握。

曹雪芹立大綱，真是立得好！我們來看：

地點選得好。京城，首善之區。四季如春，或四季如冬，都不太好寫。但他在書中又不明寫南京。他知道一涉實地，就流俗。

朝代也選得奇妙，更高超了：曹本人是入旗的漢人，又是漢文化的偉大繼承人。他不願以滿人眼光看漢文化，於是將時代虛擬，甚有唐宋之氣——這是他審美上的需要。試想寶玉、黛玉等等都穿清朝服飾——完了，焉能寫下去？所以整個榮國府、寧國府、大觀園，建築、庭院、生活道具等等，純粹漢文化，有唐宋遺風，看不到滿人的習俗。

時間空間的安排，大手筆！遠遠超過以前的小說，什麼「話說某某年間，某府某縣……」曹大師來兩大落空，幾乎沒有時間、沒有空間，或者說，有時間處就有《紅樓夢》，有空間處就有《紅樓夢》。憑這兩點，他睥睨千古。

再是定姓名。一大難關。

曹雪芹先取賈（假）姓。名稱有關聯，又無關聯，如秦可卿（情可親），秦鍾（情種）。元春入宮，迎春、探春、惜春則在家。賈政，官也。王熙鳳，要弄權稱霸的。黛玉，是憂鬱的。寶釵，是實用的。妙玉，出家了。尤三姐，女中尤物也。柳湘蓮，浪子也。

我相信曹大師曾經大排名單，改來改去，熱鬧極了。托爾斯泰、巴爾札克、福樓拜、斯湯達爾，看了一定大為動衷，大吃其醋。

藝術家僅次於上帝。

為小說人物起名字，非常難。虛構，不著邊際，用真人，寫來寫去不如真名字那人好——名字與那人，有可怕的關係。

場景佈置，寧國府、榮國府是舊建築，大觀園是新建築。其名義，藉元春探親而建造大觀園，其實是曹雪芹要安排這群男女。怡紅院、瀟湘館，可即可離，走來走去，丫頭、書僮，有事可做，要是不造大觀園，眾多人物擠在寧榮兩府的小空間內，曹雪芹下不了筆。

時、空、名、景，四大安排，曹雪芹一上來就得了四大優勢。我像是灌了四大碗醋，醋得頭昏腦脹。後來的小說家續寫《紅樓夢》，看不懂曹雪芹的陣法，就要上前較量，必敗無疑。比水準，比自覺，才可較量。

畢卡索畫了《亞維農的少女》，馬蒂斯吃醋了，對著幹，畫了《舞蹈》，高明。張充仁到雲岡後回來做佛頭——居然訪雲岡而做佛頭？

莫札特的音樂，悅耳動聽，許多人以為懂，其實太難懂了。難在哪裡？難在它有那種氣質品格。氣質，還有待於提升品質，性格還需見諸風格。我們判斷藝術，要看在它的品質與風格。

「紅學家」一個勁兒糟蹋《紅樓夢》，我很不開心。所謂紅學家，是一家老小靠紅學、靠曹雪芹吃飯。從清代到民國到現代，紅學研究愈來愈惡劣。初還沒有惡意，後來充滿惡意和愚蠢。

藝術上只該有評論家，不該有好事家。

評論家只對藝術發言。古代藝術家不具名，也少有傳記。北宗山水畫家沒有簽名。這是最自然的態度。自然界的花開鳥叫，落落大方，叫過了，開過了，就算了。大到上帝，小到蒲公英，都不簽名，不要錢。真正的批評家在評論中享受靈魂的冒險，也不用真名。

「脂硯齋」批點《紅樓夢》，就隱掉了真姓名，金聖歎定名「才子書」，只談作品，不談作者。

自己不成熟的青年人，常有偷窺癖，因為自己空泛。藝術上的好事家，如魯迅所言，是把姑嫂婆媳的嘁嘁喳喳搬到文壇上來。

中國的紅學，大抵是嘁嘁喳喳之輩。

俞平伯評《紅樓夢》，沒有新創見、新發現。最早發難有三派：一是主張《紅樓夢》敘康熙朝宰相明珠家事，納蘭成德就是賈寶玉（俞樾等主張）；二是謂寶玉系指清世祖（福臨），林黛玉指董鄂妃小宛（王夢阮、沈瓶庵主張）；三是認為敘康熙時代政治史，「十二金釵」即指姜宸英、朱彝尊諸人（蔡元培主張）。還有人說，《紅樓夢》演化明亡痛史，是和珅家事，清開國時六王七王家姬事。

實在都是無稽之談。都不是評論家，而是好事家。

俞曲園，大學問家，蔡元培，一代宗師，通情達理，卻也走進這死胡同。到胡適，倒指出這是曹雪芹的自傳，一時以為中肯。王國維以叔本華和佛家的色空觀念看《紅樓夢》，一時皆以為然。

至此廓清了前三派的說法。

《紅樓夢》之所以偉大，我以為幸虧不是曹雪芹的自傳。《紅樓夢》有自傳性，但自覺擺脫了自傳的局限。

書首的詩、詞、文，看起來很老實，坦承直說了。可是仍舊是止於暗示，一句實話不露，其實是拆了陷阱，讓你掉進更大的陷阱。胡適就跌進去了。若是自傳，那麼自傳是實的，藝術是虛的——試問，一個家庭會有這樣多美麗智慧的女孩子，可能嗎？曹家破產沒落，雪芹只十歲，至多十二歲，他的愛情經驗哪裡來？愛情沒有神童的，能說《紅樓夢》是自傳嗎？

藝術家有種特別的功能，即靈智的反芻功能。

《紅樓夢》純是虛構，而背景來自曹雪芹的記憶。我們童年少年的見聞，當時不理解，正好在不理解，囫圇接受了，記住了——藝術家有一種靈智的反芻功能，他憑記憶再度感受從前的印象。這種超時空的感受是藝術家的無窮靈感。《紅樓夢》即是如此產生的。此其一。

其二，《紅樓夢》的人物，是生活的幻化。我以為曹雪芹是唯美主義的。他要寫出超現實的美男美女，他寫這些幻化的超越的男女，有一種占有感：此即所謂意淫。

警幻仙姑說，寶玉是天下第一淫人。曹雪芹藉此向讀者眨一眨眼——我賜言：何以自謙？您才是天下第一淫公也，寶玉不過小兒科罷了。

曹雪芹天下第一偉大的意淫者。但他發乎情，止於藝術。

黛玉、寶釵、湘雲、晴雯、妙玉、可卿、尤三姐、寶玉、秦鍾、柳湘蓮、琪官，各有各的可愛，令人應接不暇。用米開朗基羅的話說：「你們這樣的美，我不能來參加你們的宴會。我來了會死的。」沒有一個小說家能在一部作品中如此大規模地意淫。此其二。

其三，曹雪芹才大於文，用在《紅樓夢》中，僅一部分。真正的藝術家，應有一種「自我背景」，深不可測，涵藏無窮。意大利「三傑」，他們的才智能量遠遠不是他們表現出來的這點東西（拉斐爾的自我背景少一點，故比較通俗，不如達文西和米開朗基羅莫測高深）。藝術家應該知道什麼東西該留下來（作品），什麼該帶走，死掉算了。

曹精於繪畫、書法、工藝、烹調、醫理，《紅樓夢》中稍微涉及，有的從來不提（他善烹飪、工風箏，都是一流）。這就是藝術家的貞操、風範。

蕭邦是傑出的演員，梅里美能做極好吃的點心，舒伯特會在琴上即興畫朋友的肖像，安徒生善跳芭蕾、剪紙藝術一流，顏真卿書法之外，武藝高強……我要說的是，大藝術家都有深厚的自我背景。

我們悼念藝術家，是悼念那些被他生命帶走的東西：「噢！只剩下藝術品了。」曹雪芹這方面是個典範。

《紅樓夢》，我只讀前八十回。高鶚應公平對待，也只有他可以續續，雖是這樣結結巴巴的悲劇。可惜落入世俗，並不真悲。

曹雪芹的偉大，分為兩極。

一是細節偉大，玲瓏剔透：一痰、一咳、一物，都是水盈盈的，這才是可把握的真頹廢，比法國人精細得多了。波特萊爾不過是劉姥姥的海外親戚。

再者是整體控制的偉大：絕對冷酷，不寵人物。當死者死，當病者病，當侮者侮。妙玉被姦，殘忍。黛玉最後為賈母所厭，殘忍。他一點不可憐書中人，始終堅持反功利、反世俗，以寶玉、黛玉來反。

我以為後半部遺失了，曹雪芹是寫完了的。哪天在琉璃廠找出來，全世界應該鳴炮敲鐘，慶祝多了一個聖誕節。

十八世紀的中國，有這樣一位文學家，站那麼高，寫這樣一部小說。他不知道希臘悲劇和莎士比亞，藝術原理上卻和希臘羅馬相通，甚至有過之而無不及。他自知偉大。寫書，是他知道不能虧待自己；不去工作，是他不想虧待自己。

可惜他的自覺還有限，因為他的時代太不夠了。他還沒有Artist的自覺。他的宇宙觀是釋、道、色、空，他的叛逆，還是反孔孟。我們活在二十世紀的幸運，是不必再靠「釋」、「道」這兩根拐棍行走了。就世界範圍而言，悲觀哲學、自由意志等等，都是路標，行路是要路標的。而偉大的藝術家是飛鳥、天鵝、老鷹，不看指南，飛就是，飛到死。這一點是後生者占了優勢。

吳爾芙夫人講座中講（〈自己的房間〉，寫得好極），假如莎士比亞有一妹妹，從鄉下到倫敦謀生，被劇場總監姦污了，窮困而死了，埋在十字路口——曹雪芹應該有個弟弟，來紐約，租一間「自己的房間」，好好寫。

中國是受了詛咒的民族。唐太宗把〈蘭亭序〉隨葬了，《紅樓夢》後半部遺失了……為什麼我以為是遺失了？因為從序言看，是寫完以後的總結法，口氣、意思，都像是寫完的。所以八十回以後，還有希望，不絕望。

如果有人問：若曹雪芹有足夠的自覺，那他會怎樣寫《紅樓夢》？我答：他會刪掉很多，改寫很多。舉例：

一開頭應該沒頭沒腦地開頭，直寫黛玉進榮國府。「賈雨村言」一章可免，因為是謎底，不當放在謎語的前面。

例二：寶玉遊太虛幻境，可簡化，但加強神秘虛幻的氣氛。

例三：寶玉在秦可卿處午睡，稍嫌油滑，應改為迷離惝怳，烘托詩意。

例四：鳳姐毒設相思局，有點惡俗，故事不必改，但文字更求衛生。

但曹雪芹只有過與不及，高鶚則是錯與誤。

將來回國，想出兩篇論文：〈魯迅論〉、〈曹雪芹論〉。

第39講

十九世紀英國文學（一）

拜倫《恰爾德·哈羅爾德遊記》《曼弗雷德》《該隱》

1991.3.10

當時詩人是沒有收入的，華滋華斯以律師、記者職業營生。時值他好友死，遺九百鎊，遺囑要他專以這筆錢做詩人！華氏靠這九百鎊成為詩人。

拜倫的父親是家事不管的花花公子。母親脾氣壞，他從小不相讓，吵。媽媽罵他「拐子」，他說：說這話的還是個人嗎？

英國文學，莎士比亞之後，公推拜倫。

歌德稱《該隱》是空前的大作品，在英國文學上無可比擬，他甚至勸友人念好英文，讀《該隱》。

上次未講《儒林外史》等，下次講到中國時，再講。

十九世紀，想起來真是音樂、文學的嘉年華（二十世紀是繪畫的嘉年華）。十九世紀文學之好，二十世紀達不到，看來人們也不願意回顧。十九世紀被忘掉了，十八世紀更是「老掉牙」了——無知的人總是薄情的。無知的本質，就是薄情。

湖畔詩人及司各特

英國人說，十九世紀，上帝給我們太多文學的天才，音樂、繪畫的天才就不肯給我們了——當十九世紀曙光初露時，英國誕生了幾位天才詩人：華滋華斯、柯立芝、騷塞。三人並稱為「湖畔詩人」（Lake Poets），因三人在湖邊做朋友，寫詩得名——三人詩風是不一樣的。接著又有拜倫、雪萊、濟慈，更有名望。這樣六個人，造成英國詩臺的燦爛局面。

到維多利亞時代，出詩人更多，丁尼生、羅塞蒂兄妹、勃朗寧夫婦、哈代等等，幾乎可以和唐代媲美。不過先要打招呼，如果你們讀原作，會覺得如此天真直白簡單，看唐詩不會有這感覺。可在當時的英國，以為大好。

華滋華斯與柯立芝的《抒情詩集》（*The Lyrical Ballads*, 1798）出版，是英國浪漫主義的開始。序言中宣布的所謂英國文學新精神，現在讀來有點言過其實，當時就是這樣的（法國浪漫主義上臺時，幾乎吵架似地吵上來）。

威廉・華滋華斯（William Wordsworth，一七七〇－一八五〇），律師的兒子，劍橋受教育。一七九〇年遊歐，正值法國大革命。他同情革命者，與吉倫特派（Girondists）成員交朋友，回國後職志做詩人。當時詩人是沒有收入的，他以律師、記者職業營生。時值他好友死，遺九百鎊，遺囑要他專以這筆錢做詩人——這樣的事多美！華氏靠這九百鎊成為詩人。

他在山頂租宅，在湖畔與柯立芝和騷塞作詩。不久父死，又得遺產，更兼高職，以後得「桂冠詩人」（Poet Laureate）稱號，高壽八十。詩人中運氣最好的大概是他。

他歌詠自然與人生，以農家風物、兒童天趣入詩。

上次講過柯柏，亦喜詠自然，但詠的是自然的外觀。華氏以自己的情緒、情感觀照自然，東方人讀或感覺親近，與王維略近，但王詩更恬淡雋永。華滋華斯與陶淵明比，更大不如，但在英國人看來，不得了。

我早年看這些英詩：寫得真老實。他們寫散步，就老老實實寫。法國人盧梭晚年寫過幾次散步，寫得好，真是成熟了，與寫《懺悔錄》時的盧梭不一樣。大陸出版了這本書，買不到，我對它印象很好，內容記不得了，很想再看看。大家留心中文版《最後的三次散步》（*Rêveries du promeneur*，一譯《一個孤獨漫步者的遐想》）。

比較起來，華氏的抒情詩最好，題材、思想、文字，皆樸素。寫小貓，小孩的自白，少女天真的對話和落葉。有詩曰〈我們是七個〉（We Are Seven），寫不知生也不知死的小孩之間無邪純真的對話，感人肺腑。

二十世紀，淳樸童真的小孩沒了。現代、後現代的孩子，耶穌恐怕不答應他們進天國，耶穌說：孩子，去玩電腦遊戲吧。

塞繆爾．泰勒．柯立芝（Samuel Taylor Coleridge，一七七二—一八三四。編按：中國譯作柯勒律治）。幼年失怙，在慈善學校長大。好讀書，憑用功進劍橋，但游心於宗教、哲學書中。後來去當騎兵，不久又作罷。娶騷塞妻妹，得友人助，遊德。寫《莎士比亞論》之後成名。抽上鴉片，漸頹廢。後來將妻兒托給騷塞，獨往倫敦混了十九年，死了。只有許多未完成的詩和大計畫。

名詩是〈古舟子詠〉（The Rime of the Ancient Mariner），敘事性質。他好寫怪誕的故事，但文筆濃郁。他與華滋華斯性情完全不同，卻是好友，或出於雅量，或是補償心理。

羅伯特．騷塞（Robert Southey，一七七四—一八四三），布商的兒子，初入西敏寺公學，因發表反對體罰制度的文章而被開除。後來進入牛津。一時窮困，奮鬥。正當成名，卻因用腦過度而神經衰弱。據說出過一百零九本書，神經是要受不了（我不寫這麼多書，大家也別寫這麼多）。詩風與華氏相近。也有說法認為他的成就是散文。名作有《納爾遜將軍傳》（*The Life of Horatio Lord Nelson*），據

華滋華斯（上）、柯立芝（下）與騷塞並稱為「湖畔詩人」，因三人在湖邊做朋友，寫詩得名。

說是不朽之作，我沒讀過。

沃爾特・司各特（Walter Scott，一七七一——一八三二），蘇格蘭愛丁堡人。大學學法律，但志在小說。晚年負債重，身體衰弱。詩以古韻文傳奇作藍本，但思想新穎，文筆活潑，當時極受歡迎。

以上都是十九世紀前期的詩人。

拜倫——詩臺上的拿破崙

拜倫。我的講義寫了十六頁，曹雪芹先生可能有意見了。

喬治・戈登・拜倫（George Gordon Byron，一七八八——一八二四），得年三十六歲，標準天才型人物的死亡。生於倫敦。父親是家事不管的花花公子。母親脾氣壞，拜倫從小不相讓，吵。拜倫是個窮的貴族。媽媽罵他「拐子」，他說：說這話的還是個人嗎？

不幸的童年，使人性格尖銳。

上大學後是個搗蛋鬼，受罰。嚮往異國情調——這是十九世紀的特徵。二十一歲遊西班牙、希臘、土耳其，邊遊邊寫詩，就是《恰爾德·哈羅爾德遊記》（*Childe Harold's Pilgrimage*），哈羅爾德是詩中主角名字。詩寄回英國，頭兩卷發表後，拜倫說：「我一早醒來，一夜成名，成為詩臺上的拿破崙。」

這就是拜倫：說得出，做得到；做得到，說得出。

一八一五年結婚，一八一六年離婚（正式分居）。就是這樣。這種婚姻，就是拜倫風格。當時英國多麼保守，輿論大譁。他一怒之下離國出走，說永遠不回來了。

拜倫的脾氣。

他是貴族、詩人、美男子、英雄，是多重性質的象徵。我小時候一看這名字，還沒讀作品，就受不了了。再看畫像，更崇拜。寶玉見黛玉，說這位妹妹好像哪兒見過。我見拜倫，這位哥哥好像哪兒見過。精神血統就是這樣。席勒，我總隔一層；雪萊，我視為鄰家男孩；拜倫，我稱為兄弟。

人類文化至今，最強音是拜倫：反對權威，崇尚自由，絕對個人自由。

拜倫，其一生是十足詩人的一生，是伊卡洛斯的一生。得年三十六歲。

真摯磅礴的熱情，獨立不羈的精神，是我對拜倫最心儀的。自古以來，每個時代都以這樣的性格最為可貴。

英國文學，莎士比亞之後，公推拜倫。

《恰爾德．哈羅爾德遊記》歷時六年，第一、第二篇以西班牙、葡萄牙、希臘、阿爾巴尼亞為背景。第三、第四篇以比利時、瑞士、意大利等地為背景——不是遊記，而是見景生情。

我定義為「世界性的大離騷」。

在地中海的波浪間，在意大利的古堡間，在瑞士的雪山下，他的詩一句句湧出來。

坦白講，我少年時得了這本《恰爾德．哈羅爾德遊記》，屈原的〈離騷〉、〈九歌〉就擱一邊了。今年春節的那幾天，我還用「哈羅爾德二世」的題名，寫了一首詩。

另一本詩集名《海盜》（*The Corsair*），敘事詩，以地中海為背景。因陸地已為種種制度束縛，只有海上可以逍遙。主角康拉德（Conrad），崇高純潔，但被人極度排斥，憤而當海盜，靠船、嘍囉、劍術，一概反抗岸上的人類，只愛他的妻子，後來妻子死了，飄流不知所終。

《海盜》一八一四年出版，正是英國誹謗拜倫達於頂點時，一出，銷量即達一萬四千冊。當時每個沙龍都談拜倫，誰不讀，誰就是落後分子。

拜倫最重要的詩是《曼弗雷德》（*Manfred*），是他從瑞士阿爾卑斯山到意大利時所作。主人公曼弗雷德是個強烈的異端，悲觀、厭世。當時歌德的《浮士德》第一部也剛問世——歐洲就有如此精神上的明星——歌德說：「此詩是模仿我的，但卻是一種新的東西。」法國人丹納（Taine）評價兩者曰：浮士德是庸俗的，曼弗雷德是血性的；歌德是普遍的，拜倫是個人的。

我來打個圓場，做點補充：《浮士德》之意義在於普遍的象徵性，其精神是一面旗幟。旗幟是一片布，布有什麼精神呢？而《曼弗雷德》是一把劍，是要殺伐的。歌德是偉人，四平八穩的——偉人是庸人的最高體現。而拜倫是英雄，英雄必有一面特別超凡，始終不太平的。英雄，其實是搗蛋鬼、皮大王，搗的蛋愈大，扯的皮愈韌，愈發光輝燦爛。

英雄和偉人是不同的。用在歷史人物上，試試看，很靈的。嵇康是英雄，孔子是偉人。

莎士比亞的詩劇是可以上演的，拜倫的詩劇如《曼弗雷德》，不能上演。曼弗雷德有個妹妹，容貌神色肖其兄。兩人親愛逾度，成亂倫關係。後來曼弗雷德自悔，與妹妹爭執，殺之，重罪，逃往阿爾卑斯山間徘徊。他受到良心的譴責，極端痛苦，但不肯依賴宗教求得解脫。有七個精靈來問他：你祈求的是什麼？他不答。精靈說：開口呀，你要掌有最高的權力，我們也給。曼弗雷德高叫道：我什麼也不要，只求忘掉自己。精靈說：那只有死。曼弗雷德說：死後而靈魂不滅，還是不能忘掉自己。

這詩很陰鬱的。善惡只能自己判斷。

歌德詩如交響樂，拜倫詩如室內樂。

另有詩劇名《該隱》（*Cain*），比《曼弗雷德》更強烈，也可謂文學史上最瘋狂的作品。司各特評之為「偉大的劇本」，雪萊稱拜倫為「彌爾頓之後無敵的大詩人」，托馬斯·穆爾（Thomas Moore）寫信給拜倫：「《該隱》真可驚恐，令人不能忘情……這劇將永存世界人類的心底。誰都要拜倒於《該隱》之前。」歌德稱此詩是空前的大作品，在英國文學上無可比擬，他甚至勸友人念好英文，讀

《該隱》。

故事來自《聖經》（諸位忙，可能還沒讀《聖經》）。亞當、夏娃罰到世界後，生子，即該隱。該隱種田，其弟亞伯（Abel）牧羊。奉祭耶和華時，該隱供五穀，亞伯獻小羊。耶和華喜納小羊，卻拒絕五穀。該隱怒而燒之，把亞伯也殺掉了——他以為人在世上即罪孽，一切困苦他一人擔當算了。耶和華將該隱逐到曠野，要他永久受人詛咒。該隱就把兒子也殺了，不想讓兒子長大也受罪。

其實我們在大陸，都是曲曲折折的該隱。

英國朝野一致認為拜倫是惡魔，在有神論的世紀，此詩太強烈了。奇怪的是，〈舊約〉記錄了該隱的故事。如果沒有真事，不必編造——這明明是為異端樹碑立傳。

大陸出過他的《唐璜》（*Don Juan*），是他最後的作品，未完成，共十六篇，取材西班牙民間傳說，藉以攻擊英國的偽君子。唐璜，風流男子，風流倜儻，十六歲愛上五十多歲夫人，事變後出逃，途中遇海難，漂流到一島，與海盜之女戀愛，被海盜賣掉。喬裝潛入土耳其後宮，與宮女雜處。後又逃亡俄國，得到女皇葉卡捷琳娜（Empress Catherine）寵倖，受命出使倫敦，罵那些虛偽的貴族。

這首長詩非常見功力，地理、環境、戰爭，鑿鑿有據，知識淵博，觀察精到，手段充分。拜倫自稱不讀書，死後發現其藏書裡滿是注解，真是天縱英才。一九四八年我乘海船經臺灣海峽，某日傍晚，暴雨過後，海上出現壯麗景色：三層雲，一層在天邊，不動，一層是晚霞，一層是下過雨的雲，在桅頂飛掠——我說，這就是拜倫。

而我當時的行李中，就帶著拜倫詩集。

拜倫拐腿，拐得好，非常拜倫。我首推斯湯達爾描寫拜倫。斯湯達爾在世上最崇拜拿破崙和拜倫。有次在意大利，一晚會據稱有拜倫。斯湯達爾大喜，去，原來座位就在拜倫旁邊。遠遠看見拜倫入場，他已昏昏沉沉，根本無心聽音樂。他說拜倫皮膚如大理石中點了燈。那晚，他說未聽到音樂，但看到了音樂。

歌德對拜倫一往情深，不可自抑。《浮士德》有一個人物，名歐福良（Euphorion），是浮士德與海倫之子，豪邁不拘，後來墜海夭折了，這是寫拜倫。而歌德一大段悼念歐福良的詩，很明顯，針對拜倫。

在我看，拜倫的一生是十足的詩人的一生，是伊卡洛斯的一生。

為了希臘獨立，拜倫傾家蕩產。他奔赴希臘前線，任起義軍司令，得熱病死去，整個希臘為之哭泣，鳴炮誌哀。屍體運回英國，倫敦人山人海迎候，引為英國的光榮。偽君子和反對他的人都想與他沾點關係。

拜倫的精神家譜是西方的懷疑主義。這主義從古希臘一路下來，初始都用心用腦，但沒有膽。蒙田臨終，世故圓滑，請來神父（他想不到四百年後一個中國人會算他的帳，算他頭腦與膝蓋的帳）。歌德一有機會就讚美拜倫，因為在文學上或生活上，拜倫做了歌德想做而不敢做的事。偉人能夠欣賞英雄，但英雄未必瞧得起偉人。

李清照懂，有詩曰：「所以嵇中散，至死薄殷周。」

懷疑主義世家的長長譜系，到了拜倫，是出了英雄好漢。李白、杜甫，不屬於懷疑主義世家，想做偉人，沒做成，詩仙、詩聖也。金聖歎、李贄等等是懷疑主義者，但本錢不夠。戰國以後，中國沒有出大思想家。魯迅，是一個人物。他早期的思想宣言〈摩羅詩力說〉，就對拜倫大為讚揚，以為要救中國，必須提倡「惡魔精神」，可惜魯迅先生的抱負只在反帝反封建，可惜他剛剛開始懷疑，就找到了信仰。

拜倫的個人至上，純粹的獨立，純粹的自由，其實就是尼采的超人意志。

拜倫是本能的天性的反抗。

一百多年過去後，可以說，拜倫是「超人」的少年時期，是初出茅廬、跟著感覺走的超人。他的哈羅爾德、康拉德、曼弗雷德、該隱、唐璜，都是語言橫蠻的小夥子，不讀書不看報，漫遊，搶劫，亂倫，罵上帝。這位懷疑主義的子弟尚未成熟，他的詩中的人物，都是搗蛋的美少年，膽大，氣醇，賦厚。

尼采一來，超人進入中年壯年，他不再如拜倫詛咒上帝，乾脆宣布上帝已死，更提出系統的理論。這是哀樂中年說的話。

所謂「哀樂中年」，是指中年人的悲樂格外深切。尼采純然活在哲學中，生活一片空白、一片乾旱，是個喝不到酒的酒神，所以瘋了。瘋了，就沒有「晚年」可言——超人的晚年也要來的。人到了老了，特別懷念少年時期。

青春活力是不浮誇的，裝出來的活力才浮誇。拜倫的輕狂是一點不做作的——他喝酒，喝完就把杯子摔掉，說：我喝過的杯子不許別人再喝——尼采有沒有在作品中看到他的先驅拜倫？我沒有發現。

老年人的仁慈是看清了種種天真。拜倫的詩和尼采的哲學，在我看來是如何的乳氣，生的龍、活的虎，事事認真，處處不買帳……我是個殘忍的人，一看再看，實在看得多了，徐徐轉為仁慈。仁慈是對自己的放鬆，但對世事不放鬆。

藝術家是不好惹的。

超人有他的少年期、中年期、老年期。但超人沒有更年期。

最後打個圓場：我們這個世紀、這代人的價值在哪裡？可以秋後算帳。

拜倫只會叫：這是不對的！不公平的！不能忍受的！尼采呢，大老闆（上帝）死了，小老闆（耶穌）又不在，於是他說，一切重新估價。

拜倫可以流亡，做強盜，做 Play Boy，做軍隊統帥。他可以，他長得漂亮。但他的道路絕不是普遍性的。尼采的「一切重新估價」呢，他來不及重新估價。從他死後到目前的一切，也需要重新估價。

過去的講法：達則濟世，窮則獨善。我講：唯能獨善，才能濟世。把個人的能量發揮到極點，就叫做個人主義。

不妨做個更通俗的圖解：

希臘，開始認識自己；文藝復興，是中世紀後新的覺醒；啟蒙主義，是我們可以做些什麼；到浪漫主義，是個性解放；到現代，才能有個人主義。

我的意思是，別以為從來就有個人主義，不，個人主義是從人的自證（希臘）、人的覺醒（意大利）、人與人的存在關係（法國），然後才在世界範圍內發展成個人主義（以英、法、德為基地）。個人主義不介入利己利他的論題，是個自尊自強的修煉——但不必說出來。

二次大戰前夕，是歐洲個人主義發展到最豐盛的不言而喻的時期。大戰後忽然糊塗了，乃有存在主義。存在主義是個人主義的走調，個人主義是不言而喻的。

中國自外於世界潮流。中國沒有個人主義。

「五四」以後，要在幾十年內經歷人家二千年的歷程，也因為沒有個人主義，革命一來，傳統裡沒有「個人」，一擊就垮。

這樣來看拜倫以前如何，拜倫之後如何，所以見其可愛。

我這樣形容他：至性，血性，男性。

在這一點，任何西方偉大的詩人都不能與拜倫比擬。

以下是一首小詩：

就此別了吧，
就是別了吧，
如果是永遠也別了吧，
雖然我不原諒你，
也絕不會背棄你，
就此別了吧，就是別了吧，
如果是永遠也別了吧。

好，我們開了一個拜倫追悼會。來個大題小做：大家畫畫都找不到自己的風格，怎麼辦？所謂風格：由你來重新估價一切——下手馬上不一樣。

塞尚重新估價蘋果、風景……這又是小題大做。估價一切，本錢要足：天性，然後是修養。每個藝術家都要重新估價。

順便說說——寫作，論你尊敬者，「論」字放在後，如〈塞尚論〉、〈魯迅論〉。論你不很尊敬者，「論」字可放前面，如〈論某某〉。論不及水準者，不用「論」，起個別的題目，如〈此岸的克利斯朵夫〉、〈塔下讀書處〉。

民國版《拜倫評傳》和拜倫著作《曼弗雷德》。木心推崇的丹麥大評論家勃蘭兌斯、翻譯家韓侍桁的名字，出現在封面上。

第40講

十九世紀英國文學（二）

雪萊　丁尼生　勃朗寧夫人　珍·奧斯汀　狄更斯　勃朗特姊妹

1991.3.24

濟慈是詩之花，是個薄命的男佳人。他與雪萊、拜倫不一樣，一味讚揚美，對人間世事概不在懷。不過他們那時的唯美，照我看，唯是唯了，美還不夠美。
不過想回來，對一朵花不能要求太高。

女性作家中我非常推崇奧斯汀，有天才，有功力。那時女人寫小說是笑話，要被人看不起的。奧斯汀就在那種翻板的小桌上寫，聽到腳步聲，連忙蓋上桌面。這樣提心吊膽的寫作生涯，竟能完成六部長篇小說——天才是埋沒不了的。

托爾斯泰說：憂來無方，窗外下雨，坐沙發，吃巧克力，讀狄更斯，心情又會好起來，和世界妥協。

雪萊——在詩中做政治宣言

珀西·比希·雪萊（Percy Bysshe Shelley，一七九二—一八二二），英國古貴族子弟，世代傳承。他有繼承爵位和財產的權力，但和父親合不來。十九歲宣布自己的「無神論」。出小冊子，名《論無神論的必然性》（*The Necessity of Atheism*），與父親鬧翻，被牛津除名。又與一位非貴族女子結婚，被家庭逐出。這段婚姻又不幸，不久離婚。妻子在離婚後自殺。

同情他的身世。一個不安於既成見解的人，在當時就以「無神論」為標誌，又打破貴族門閥觀念。

二十歲，鼓吹愛爾蘭解放運動，發傳單，號召人民反抗政權。臉長得像姑娘，卻是個脾氣很大的造反派。第一部長詩《麥布女王》（*Queen Mab*），被當局仇視。一八一一年，他被家庭趕出，被學校趕出，被國家趕出（這是命。我少年時也被上海市長吳國楨批准的開除書開除，寄到家，我媽媽昏倒，家鄉輿論大譁）。

雪萊去瑞士旅行，在日內瓦湖邊碰到拜倫，從此友誼深厚，說死也為拜倫死。拜倫抽鴉片，請雪萊過海取貨，結果溺死了（小道消息）。

拜倫與雪萊同時被介紹到中國。魯迅《傷逝》中涓生的屋裡，牆上掛著雪萊的肖像。我小時候心目中的詩人，就是雪萊、拜倫、普希金。秀麗，鬈髮，大翻領襯衫，手拿鵝毛筆——那時看到這副樣子，就覺得是詩人，羨煞，卻沒想到「詩」。

少年人都是由表及裡的。

「我要把內心的光傳給世人。」他少年時在泰晤士河畔立誓。

當時看了真感動啊！

現在以人生觀、世界觀、藝術觀論，我和他已經沒法談了，好像童年的衣服，不能穿了——他當時「內心的光」，無非人民、平等、自由、博愛。今天怎樣？哪裡像他那時想的。藝術沒有進化可言——藝術家卻要不斷進化。

這進化，指的是超越時代。

雪萊，少年時在泰晤士河畔立誓：「我要把內心的光傳給世人。」拜倫抽鴉片，請雪萊過海取貨，結果溺死了。

當時他是先知。他站在他的時代前面。我們今天讀他的詩，也要站在今天的前面。

浪漫主義是一種福氣，我們輪不到享受這種福氣了。也因此今天我能寫出和拜倫、雪萊不一樣的詩。

他一八一八至一八二二年在意大利，創作力非常強盛：〈伊斯蘭的反叛〉（The Revolt of Islam）、〈被解綁的普羅米修斯〉（Prometheus Unbound）、《倩契》（The Cenci）、〈給英格蘭人的歌〉（Men of England）、〈自由頌〉（Ode to Liberty）、〈西風頌〉（Ode to the West Wind）……他都想在詩中解決問題，在詩中做政治宣言。普希金也如此。其實那時誰懂政治？我們現在讀到十九世紀所謂民主、自由的政論詩，都會感到幼稚滑稽。

非正式排排隊：所有以思想「革命」的，有如下幾類：

感覺上的民主主義——古代希臘民主思想。

感情上的民主主義——啟蒙時代的浪漫主義和自由主義。

理論上的民主主義——社會主義、共產主義。

行動上的民主主義——暴力、獨裁。

思想上的民主主義——二十世紀成熟的思想家。

十九世紀的民主主義，就是「感情上的民主主義」。雪萊如果不死，世人會說他是個「革命者」。拜倫如果不死，我看他是「反革命」——我喜歡反革命分子拜倫。

凡屬於感情上的民主主義，現在看，是受不了的，可以說過時了，預言、反抗等等，過時了。〈西風頌〉有句「冬天來了，春天還會遠嗎？」這是雪萊的名言。

世界哪裡是那樣的。好人讀了要上當的。

雪萊與拜倫性格不一樣的。拜倫因為思想上的不成熟，呼天搶地宣揚他的懷疑，雪萊也因為思想上的不成熟，歡天喜地維持他的信仰——說句老實話，我看他們寫的詩，只當風景看看。說一句狂妄嚴厲的話：他們都不懂得寫詩。

西方人真正會寫的，是小說，不是詩。中國人才會寫詩，但不會寫小說。現代中國人，散文、小說、詩，都不知道怎麼寫了。

濟慈——夜鶯詩人

約翰・濟慈（John Keats，一七九五—一八二一），一個清清白白的唯美主義者（王爾德後來成了個骯髒的唯美主義者）。詩篇《艾德美》（*Endymion*，也稱《恩底彌翁》），取材希臘神話，初出時被世人罵，他氣得發瘋。他不知道可以視批評家為芻狗，也不知道知名來自誤解。他老實，沒有我這樣老奸巨猾，他氣出肺病來。他與雪萊、拜倫都通信，那信寫得真好。

他應雪萊之邀到意大利養病。那時沒飛機，馬車顛過去，到了意大利，肺病已是後期，完了，二十六歲死於羅馬。

病也有時代性。那時作興肺病。

他是詩之花，是個薄命的男佳人。他與雪萊、拜倫不一樣，一味讚揚美，對人間世事概不在懷。不過他們那時的唯美，照我看，唯是唯了，美還不夠美。

不過想回來，對一朵花不能要求太高。一朵花活二十六年，已經不短了。他的墓在羅馬。丹青去時還不知道，沒去拜訪，以後要去。

「這裡躺著的是一個姓名寫在水裡的人。」（Here Lies One Whose Name was writ in Water.）這是他的墓誌銘。

我最喜歡斯湯達爾的墓誌銘：「寫過，愛過，活過。」（SCRISSE, AMO, VISSE）。

厲害得不得了，又謙虛又傲慢，十足陽剛。

濟慈的詩：〈艾德美〉、〈伊莎貝拉〉（Isabella）、〈夜鶯頌〉（Ode to a Nightingale）、〈希臘古甕頌〉（Ode on a Grecian Urn）。雪萊像雲雀，濟慈像夜鶯。他總是寫夜鶯。

濟慈，詩之花，是個薄命的男佳人，得年二十六歲。總是寫夜鶯。

「詩臺雙星」及勃朗寧夫人

直到十九世紀末，維多利亞時代詩名最大的是丁尼生。

阿爾弗雷德·丁尼生（Alfred Tennyson，一八〇九—一八九二），桂冠詩人，文學史上位置很高。其父為牧師，有三子，丁尼生最小。上劍橋「三一學院」時，作詩得獎。他的哥哥也善詩，兩人合出詩集。不久獨自出詩集，三年後又出一本，但都被批評家嚴厲否定。他自此隱居九年，直到一八四二年，再出新詩集，詩名大噪。丁尼生最後得爵位，得桂冠。

溫和，明淨，講究音韻，合英國紳士口味。長壽。他是英詩史上的福人。福人往往是俗人。我不喜歡丁尼生，桂冠詩人尤其討厭，好像皇家寵物。

勃朗寧和丁尼生被稱為當時的「詩臺雙星」。但我喜歡勃朗寧。

羅伯特·勃朗寧（Robert Browning，一八一二—一八八九），受教於倫敦大學，一生生活寧靜。早年寫過戲劇，不好——他是詩人。後來找到自己，出詩集《鈴鐺和石榴》（*Bells and Pomegranates*）、《男人和女人》（*Men and Women*），漸得大名。

我們小時候的小學教科書，有許多世界名著，唱莫札特，我們卻不知道。那時我就在教科書上讀到了勃朗寧的詩，非常喜歡，叫做《哈默林的花衣吹笛人》

（*The Pied Piper of Hamelin*）——有一個大城，老鼠成災，市長招募滅鼠的能人，允諾厚賞。一個穿花格子衣服的流浪者說能滅鼠，市長高興，請他行事。花衣吹笛人便吹響笛子，老鼠紛紛出洞來到他腳邊，他邊走邊吹，走到河邊，鼠群統統掉到河裡淹死了。花衣吹笛人向市長討報償，市長賴帳不認。吹笛人笑笑，轉身走出市府，邊吹邊走，全城的小孩跟著他走出城門，不知去向。

這首詩有寓言童話的性質，但更有詩味。現在想想，我也是那個吹笛人——講世界文學，就是吹笛呀。

他是個博大精深的詩人，淡遠簡樸中見玄思。他是寫給少數智者看的，所以紀德稱他「四大智星」之一。他像一座遠遠的山，不一定去爬，看到他在，我就很安心。他相貌極好。

丁尼生，桂冠詩人。維多利亞時代詩名最大者。

伊麗莎白·巴雷特·勃朗寧（Elizabeth Barrett Browning，一八〇六—

一八六一），通常稱勃朗寧夫人。她是英國女詩人中最有成就的，相貌也極美。生於倫敦，知識廣博精深，翻譯希臘文學（《被縛的普羅米修斯》）。她最愛弟弟，弟弟不幸死於海難，她悲痛，隱居，以致癱瘓。

她名氣大，長羅伯特．勃朗寧六歲。勃朗寧求婚，她先拒絕，後來感動，結婚。在意大利度蜜月，由於愛和葡萄酒，她康復了，能走路了。吳爾芙小說《愛犬富萊西》（*Flush: A Biography*），以他倆的寵狗的視角，描寫他倆戀愛，寫得真誠質樸。兩人樓上樓下分別寫商籟體（Sonnet，也稱十四行詩），傾訴愛，交換：

> 不要怕重複，再說一遍，再說一遍，你愛我！（《葡萄牙十四行詩集》第二十一首，Say Over Again。）

充滿真情。他倆是世界上最完美的愛侶（李清照才高於丈夫太多，還是寂寞的）。勃朗寧夫人死在意大利：她與丈夫談心說笑，覺得累了，就偎在他臂上睡去——無病痛，死了。〈被放逐的戲曲〉（A Drama of Exile）、〈孩子的哭聲〉（The Cry of the Children），是她的名詩。流傳最廣的是她寫給勃朗寧的詩。

我曾買到勃朗寧詩集，英文，很珍愛。「文革」中窮極，拿到上海舊書店賣。老闆懂，看後說：「他的詩沒人要，他太太的我要，你有嗎？」我只好將書抱回，一路上想：「他要他老婆的，他要他老婆的。」

勃朗寧夫人，與先生羅伯特．勃朗寧（上）兩人樓上樓下分別寫十四行詩，傾訴愛。是世上最完美的愛侶。

阿諾德及羅塞蒂兄妹

講到馬修．阿諾德（Matthew Arnold，一八二二——一八八八），文學理論和批評都要引他的話。他和丁尼生、勃朗寧恬靜樂觀的作風不同。他是懷疑論者。在牛津（大學）教詩歌，刊行詩集，但他的批評家名氣壓過詩名。死在意大利（我看不死則已，要死死在意大利）。

時代有點像個人：人的心情，明一陣，暗一陣，時代也如此。到阿諾德，理智和信仰衝突，直到悲觀。再難受一陣子，濟慈的後人又開始走濟慈的唯美道路。

先有繪畫的「拉斐爾前派」（Pre-Raphaelite），後來推廣到文學。什麼都不管，只想古代、中古、唯美。首領就是羅塞蒂兄妹。他們是意大利人，詩人、畫家。

但丁·加百利·羅塞蒂（Dante Gabriel Rossetti，一八二八—一八八二），他的十四行詩，據說是英國最好的。他的畫怎樣呢，不怎麼樣，只多了一種造型。他所特別喜歡的女性的臉，後來影響到魯迅喜歡的比亞茲萊（Aubrey Beardsley）。

詩更有名的是**克莉斯緹娜·羅塞蒂**（Christina Rossetti，一八三〇—一八九四），與勃朗寧夫人並稱。有詩《鬼市》（*Goblin Market*），成名作。有一天，美國沙龍，克莉斯緹娜在；青年文藝家在談詩，談到狂妄處，旁坐的羅塞蒂妹妹忽然站起來，說：「我是克莉斯緹娜·羅塞蒂。」然後離去。眾人無話可說。

風範可嘉。

同時有莫里斯（William Morris）、梅瑞狄斯、史蒂文生、王爾德、哈代、斯溫伯恩（Algernon Charles Swinburne）等等，均善詩。

哈代寫詩起家，後來以小說得大名。八十三歲還出過詩集。

還有一位道生（Ernest Dowson，一八六七—一九〇〇），其哀歌受人稱讚，寫酒、戀愛、失望。迷戀巴黎，是個頹廢詩人，詩史總要提到他。

另有一位愛德華．菲茲傑拉德（Edward FitzGerald，一八〇九—一八八三），譯者，譯波斯《魯拜集》，名載文史。十九世紀末，愛文學的青年每人一本《魯拜集》。

這是文學史上的風流韻事。我在十三歲時見到《魯拜集》譯本，也愛不釋手。奇怪的文學因緣，憑本能覺得好。

那時的詩，已擺脫神話英雄事件。自湖畔詩派起，已傾向生活、愛、兒童、自然，屬於感情上的民主主義。他們主張永恆的主題，但方法是向回走的。向回走的作用，是借古代的彈力，彈到前面。文藝復興「三傑」都借古希臘之力，彈到前面去。

以詩論，勃朗寧強，借古代，顯示現代氣息。賞十九世紀英國詩，要保持距離，別以為詩到頭了。不，詩的可能性多著呢。十九世紀的詩的礦藏，只發掘了一部分。

我寫詩，神話、英雄、自然、愛情、兒童，都沒有。詩的大路還有人在走——其實沒人走——詩還大有作為。

十九世紀英國詩，值得讀。維多利亞王朝的英國詩人，真如群星燦爛，講不勝講。中國人要好自為之。唐詩，仿佛是遠山，是詩的背景——詩應該從我們這兒開始，移到近景來。曾用過的詩的材料、方法，我看都不是好材料、好方法。這個感覺我早就有，但不能公開說，說了，要被囚進瘋人院。

但是十九世紀的小說，如哈代的幾部，可以說是登峰造極——現在，我們自然而然從詩流到小說。

小說家：奧斯汀、狄更斯、夏綠蒂

十九世紀英國小說誰開頭呢？瑪麗亞．埃奇沃思（Maria Edgeworth，一七六八—一八四九），生於愛爾蘭，終身不嫁。第一部小說《拉克林特堡》（*Castle Rackrent*），寫地主農民。她的小說寫社會問題，趣味濃厚忠肯，死時八十一歲。司各特很讚賞她。

第二位小說家就是司各特（Walter Scott，一七七一—一八三二），也兼詩人，詩名高時，寫了小說《威弗利》（*Waverley*），不自信，隱名出版，卻大受歡迎。此後作二十九部小說，部部受歡迎。文筆收轉自如，材料極其豐富，歌德大讚，稱其偉大。晚年窮困，過度工作以償還債務，雖然許多債本可以不用還的。

接下來是珍．奧斯汀（Jane Austen，一七七五—一八一七），《傲慢與偏見》（*Pride and Prejudice*）的作者，與司各特同代，很特異的女作家，生前幾乎無人知道

司各特，詩人、小說家，小說《威弗利》大受歡迎。

這麼個女作家，小說名實相符。她的作品我以為是不易讀的，寫凡人凡事，六部小說，前後很完美。她的諷刺很平靜，簡樸的手法，很秀美。

女性作家中我非常推崇奧斯汀，有天才，有功力。那時女人寫小說是笑話，要被人看不起的。奧斯汀就在那種翻板的小桌上寫，聽到腳步聲，連忙蓋上桌面。這樣提心吊膽的寫作生涯，竟能完成六部長篇小說——天才是埋沒不了的。

珍．奧斯汀，很特異的女作家，生前幾乎無人知道她。

查爾斯．狄更斯（Charles Dickens，一八一二—一八七〇），早年窮困，父親還不出債，入獄，他探監。不幸的生活造就他的文學起點。他從未進過學校，一切自修。父親出獄後送他到律師事務所工作，他不喜，寧可去當速記員，得以練習速記和文章的剪裁。得空喜歡在倫敦街頭漫遊（作家似乎都在大都市生活）。初寫滑稽有趣的東西登在報上，被人發現，請他去做連環畫的腳本編寫，《匹克威克外傳》（*The Pickwick Papers*）是也。出版後，讀者興趣不在畫而在文，迅速家喻戶曉。

狄更斯，作品一再被改拍成電影。托爾斯泰說：憂來無方，窗外下雨，坐沙發，吃巧克力，讀狄更斯，心情又會好起來，和世界妥協。

狄更斯二十五歲前後，小說開始一部部出來，廣受歡迎。一八四二年遊美，大受歡迎。晚年不寫了，常在聽眾面前朗誦自己的作品。他的作品拍成電影最多，一拍再拍——《遠大前程》（*Great Expectations*）、《塊肉餘生錄》（*David Copperfield*）、《雙城記》（*A Tale of Two Cities*）、《孤雛淚》（*Oliver Twist*）、《老古玩店》（*The Old Curiosity Shop*）。

評價：正統文學批評說他藝術水準不夠，認為是通俗小說作家。我以為這種批評殺風景。我喜歡他。在他書中，仁慈的心靈，柔和的感情，源源流出。說他淺薄，其實他另有深意。他的人物，好有好報，惡有惡報，但和中國式的因果報不同。他的這種「報應法」是一種很好的心靈滋補。托爾斯泰說：憂來無方，窗外下雨，坐沙發，吃巧克力，讀狄更斯，心情又會好起來，和世界妥協。

我年輕時期憂來無方，也用這老藥方。你們現在都忙，沒有空閒憂悒，如果誰落在憂悒中，不妨試試：沙發、巧克力、狄更斯。

狄更斯的小說結尾，失散或久別的親友又在一起了，總是夜晚，總是壁爐柴火熊熊然，總是蠟燭、熱茶，大家圍著那張不大不小的圓桌，你看我，我看你，往事如煙，人生似夢，昔在，今在，永在。

這種英國式的小團圓，比中國式的大團圓有詩意得多。我們大家在美國，說老實話，都在硬撐，誰不思念狄更斯結局中那張不大不小的圓桌？

我寫東西時與奧斯汀和狄更斯比，奧斯汀太囉嗦，狄更斯太通俗，但我就是喜歡這兩位作家。藝術上前人和後人的關係，是藝術上的天倫關係：前人哺育後人，後人報答前人，成天倫之樂。

威廉・梅克比斯・薩克萊（William Makepeace Thackeray，一八一一—一八六三），響噹噹的大小說家。上海解放初期，許多文人看薩克萊。生於印度，五歲回英國。十八歲入劍橋，但他想學藝術，退學，寫小文登報，到《浮華世界》（*Vanity Fair*，又稱《名利場》）出版，成名。後來出《潘丹尼思》（*Pendennis*），又以「英國十八世紀幽默家」的演講著稱。寫上流社會，結構很強。諷刺寓意，好心腸，不是攻擊性的。他的小說如一種皮鞋，好皮、好功夫，穿在腳上有點夾腳，不舒服。他的小說有點像任伯年，是小說能品中的大師。

薩克萊，他的小說如一種皮鞋，好皮、好功夫，穿在腳上有點夾腳，不舒服。

愛德華·布爾沃—利頓（Edward Bulwer-Lytton，一八〇三—一八七三），早熟，母教很好，六歲能詩，十五歲出書。劍橋學生。步行遊歷全英國和愛爾蘭。後定居法國。善談，還在內閣參過政。作過小說《龐貝的末日》（*The Last Day of Pompeii*），情節浪漫，考證翔實。又有小說《未來的人類》（*The Coming Race*），提到當時還沒有的電。

十九世紀後半葉英國文學，也是女作家領頭登場：**夏綠蒂·勃朗特**（Charlotte Brontë，一八一六—一八五五）。她們是三姊妹，生於牧師家庭。本來是五個女孩，一個男孩，母親死後，姨媽來照顧孩子。大女兒和二女兒都夭折了。夏綠蒂·勃朗特是老三，**艾蜜莉**（Emily Brontë，一八一八—一八四八）是老五，**安妮**（Anne Brontë，一八二〇—一八四九）是老六，住在約克郡的桑頓村，曠野的偏僻一角，自然環境影響了她們的氣質和文學風格。

三姊妹都在文學史占地位。安妮是詩人，也寫小說，有名，但地位不如兩位姊姊。

三姊妹在約克郡一直寫到死，真正做到了生活和藝術的一元。生活和藝術家應該是什麼關係？她們的實驗很成功：終生不嫁，態度虔誠，成果卓越。這種自立、不嫁、求全、寫，不一定使人佩服，但要深思。似乎藝術另有自己的上帝，而她們是上帝的選民。

一說《簡愛》（*Jane Eyre*）是自傳性的，其實她的經歷和簡愛不同。出書後非常轟動，直到二十世紀才冷清。艾蜜莉《咆哮山莊》（*Wuthering Heights*）的光輝蓋過了《簡愛》。

吳爾芙夫人對《簡愛》的批評兇狠不留情。我以為《簡愛》還是好。一是情操崇高；二是適合年輕人讀，是愛情的好的教科書。年輕時不愛看此書，完了——感情上愛情上看不懂《簡愛》，是個大老粗。對《少年維特的煩惱》、《簡愛》、《茶花女》、《冰島漁夫》（畢爾．羅逖）這幾部愛情小說，如果看不懂，不愛看，那是愛情的門外漢門外婆。而且我可以判斷他是個壞人，沒出息。

西方就有這好處：有這樣健康的愛情教科書。中國要嘛道德教訓，要嘛淫書；要嘛帝王將相畫，要嘛春宮圖。

我到現在還想寫一兩部純粹感情、愛情的小說，只是老了還寫愛情，拿不出手。來美九年，敬愛情而遠之。

你們還年輕，人生的季節已經錯過了。如開桃花，是十日小陽春。還是去讀小說。

人生多少事，只能「雖不能至，心嚮往之」。人的幸福，其實就到心嚮往之的地步。整個音樂就是心嚮往之的境界，是拿不到的東西。

吳爾芙夫人揚《咆哮山莊》貶《簡愛》。何苦來哉？前書適合老年人讀，後書適合青年讀。毛姆（Maugham，一八七四—一九六五）評《咆哮山莊》，說：「令我想起繪畫上的艾爾．葛雷柯（El Greco）。」

這幾本書是愛情上的「福音書」。愛情在這個世界上快要失傳了。愛情是一門失傳的學問。

詩意上來時，文字不要去破壞它。現在我看到的中國的現代詩，字眼、文字都太刺眼（欣賞藝術需要本錢——天性、學問——沒看懂的東西，是沒有本錢）。

大家都結婚了，否則，就做個愛情上的流浪漢。已經結婚的，就地取材，自己、雙方，創造新的快樂。

勃朗特三姊妹：夏綠蒂（上）、艾密莉（下右）、安妮（下左）。三人都在約克郡一直寫作至死，終生不嫁。作品《簡愛》、《咆哮山莊》流傳後世。

第41講

十九世紀英國文學（三）

艾略特　史蒂文生　吉卜齡　哈代　王爾德　蘭姆

1991.4.7

公平地說，福樓拜、托爾斯泰，是耶穌的衣服的一部分，重外在；哈代、杜思妥也夫斯基，是耶穌的心靈的一部分，重內在。

講文學史，三年講下來，不是解決知識的貧困，而是品性的貧困。沒有品性上的豐滿，知識就是偽裝。

王爾德的兩大悲哀：一是唯美而不懂得美。他最喜歡的三張畫根本不美，死神、裸體、翅膀之類。最怕是喜歡什麼，就去藝術中找——這好比一個美食家張開嘴，口中沒有舌頭。二是他在生活上是個失敗者。他自稱「天才用在生活中」，正好相反。

艾略特——英國最偉大的女小說家

喬治・艾略特（George Eliot，一八一九—一八八〇），也是當時著名的女小說家，艾略特是筆名，很男性（喬治・桑也是筆名，很男性），本名瑪麗・安妮・艾凡斯（Mary Anne Evans）。少女時受良好教育，後來靠自學，成績可觀。通法、德、希臘、希伯來語，早年靠翻譯起家。與父不合，父親去世後離國旅遊（說到旅遊，想到觀光業，非常痛恨。觀光業一開始就不光彩。以後大家去，一定要瞭解該國歷史。從前的大人物，一趟旅遊，影響一生）。回國後遷去倫敦，住在《西敏寺評論》（*Westminster Review*）雜誌出版人家中，任編輯，也大量投稿——最理想還是一大筆遺產，終生旅遊。

初有短篇小說集《教區生活場景》（*Scenes of Clerical Life*），不太為人注意（始用喬治・艾略特筆名）。四十歲發表第一部長篇小說《亞當・彼得》（*Adam Bede*），出名。眾人猜作者是誰——狄更斯段數高，不猜人，看筆調，說：一定是女作家。

後與評論家劉易斯（George Henry Lewes）同居，劉易斯有妻子，在守舊的英國輿論界，對此倒也不太責備，可見他倆很相配。劉易斯的思想後來在艾略特的小說中大有流露。愛情的內容其實很簡單，沒有多大內容。為何有的愛情造成這樣大的歷史景觀？因為遇到挫折，不讓他們愛，於是道德、智慧出現，才顯得偉大。光是愛情，有多少東西？歌德說：「高昂的熱情，堅持不了兩個月。」一個高明的演員，在臺上的高潮不超過二十分鐘。

愛情顯得好時，不是愛情，是智慧和道德。劉易斯與艾略特的愛，相互影響，所以長久。

作品風格質樸、熱烈，人事描寫都寫得實在而單純，通體看來，很大器。就文學成就看，高於勃朗特三姊妹。畢生著作《羅慕拉》（*Romola*），我沒有看過。據說參考書用了五百多種。一般評論，英國女小說家以喬治．艾略特最偉大。

喬治．艾略特，一般評論，英國女小說家以她最偉大。

金斯萊兄弟，哥哥查爾斯（Charles Kingsley，一八一九—一八七五）更著名。終生任傳教士。劍橋畢業，留任歷史學教授。著作多，有小說、散文、詩。勤奮。小說三十五本，其中《希帕蒂婭》（*Hypatia*），寫一位優秀的希臘女子宣講新柏拉圖思想，被基督徒殺害。《水孩兒》（*The Water-Babies*）是英國孩子熱中閱讀的小說。弟弟亨利（Henry Kingsley，一八三〇—一八七六），寫過三部戰爭小說，名不如兄。文學史上總稱「金斯萊兄弟」。

史蒂文生、吉卜齡

二流作家有**威爾基・柯林斯**（Wilkie Collins，一八二四—一八八九），他以情節取勝，寫惡人，讓人欽羨。為什麼寫惡人呢？司馬遷擅長寫、也喜歡寫惡人。惡人有一種美，司馬遷把他們列入「列傳」。張飛在傳統戲曲中是黑臉，但在頰邊添些粉紅，看去很嫵媚。梅里美也愛寫惡人，強盜、流氓——卡門多惡，做愛時蒼蠅多，擊蛋於牆，移蒼蠅叮蛋，自己脫身。

有本事，拿自己作模特兒，寫出一個惡人，惡得美麗。

還有**查爾斯・里德**（Charles Reade，一八一四—一八八四），文字風格很好，寫淘金、遊民。聽說寫文藝復興很有本領。

路易斯・卡洛爾（Lewis Carroll，一八三二—一八九八），《愛麗絲夢遊仙境》（*Alice's Adventures in Wonderland*），據現在說，是為一個女孩寫的。一出版即風行各地，幾乎任何國家都有譯本。

布萊克摩爾（Richard Doddridge Blackmore，一八二五—一九〇〇），當時就寫暴力，反對柔和的家庭小說。鄉土味很重。

羅伯特・路易斯・史蒂文生（Robert Louis Stevenson，一八五〇—一八九四），不是二流，而是大作家了。我這一輩，無人不讀史蒂文森《金銀島》（*Treasure Island*），還有《新天方夜譚》（*New Arabian Nights*）。聽說在英國也無人不讀《金銀島》，尤為少年人喜。他是詩人，但被小說的名氣遮蓋。身體弱，租船在太平洋遊蕩，海上的空氣與冒險恢復了他的健康。據說其書信寫得極好，大家有心去找找看。

他的冒險小說一不寫愛情，二不寫悲劇。英文本領無敵，語言特別有彈性。

史蒂文生，寫《金銀島》，據說在英國無人不讀。

純技術地去享受、欣賞他的英文本領，一定很有趣。

梅瑞狄斯、杜・馬里耶、吉卜齡，這三人各有風格。

梅瑞狄斯（George Meredith，一八二八—一九〇九），深刻、高超，文筆晦澀。

杜・馬里耶（George Du Marier，一八三四—一八九六）是畫家，後來成小說家，成功了。

吉卜齡（Rudyard Kipling，一八六五—一九三六）最優秀，他的特點，是不用奇特材料，可以平凡事而寫得恐怖。被許多人稱為文壇上的「彗星」。一九〇七年得諾貝爾獎。曾來過中國。

喬治・艾略特、史蒂文生、吉卜齡，這三人最好。

吉卜齡，一九〇七年得諾貝爾獎。有文壇上的「慧星」之稱。

哈代——一流的小說家

匆匆表過，留時間講哈代。我一直崇拜他，將來可能寫一篇哈代的論文。梵樂希寫過〈波特萊爾的位置〉，名字多好。我也要寫〈哈代的位置〉。

他有多重意義。他的作品好到，在這個路子上我看到絕望為止。另一個杜思妥也夫斯基，也讓我絕望。有些偉大的作品一派拒絕模仿的氣度，「不許動！」好像這麼說。

托馬斯・哈代（Thomas Hardy，一八四〇——一九二八），倫敦國王學院出身。十六歲學建築，數度得皇家建築師學會獎勵，二十五歲後才專事文學。一個大問題：一個天才如何認識自己？如果哈代的才智用在建築上，名利雙收，前程遠大——他不走。當時，他「一無所有」的是他的文學。一個天才是在他一無所有時，就知道自己的才能在哪方面。

起點，就要有這份自信。

哈代，壓卷之作《無名的裘德》，出書後遭冷落嘲罵，從此不寫小說。另有《黛絲姑娘》。

然後，一本一本書，一個一個字，一個一個標點，證明自己是一個天才。

我認為哈代最好的小說是《黛絲姑娘》，全名《德伯維爾家的苔絲》（*Tess of the D'Urbervilles*。編按：此為中國譯名）。還有一本《裘德》，全名《無名的裘德》（*Jude the Obscure*）。還有一本《歸來》（*The Return of the Native*），中國曾有譯名《還鄉》。

他是真正的大家，大在他內心真有大慈大悲。他的行文非常遲緩，我讀時，像中了魔法一樣。文學家、畫家，常會羨慕音樂家，而音樂家、畫家，恐怕都得羨慕哈代行文的本領：如此長，溫和。讀時，心就靜下來，慢下來。他寫黛絲早起，鄉村的種種印象描寫，無深意，無目的。就是這種行文、描寫，了不起。

《還鄉》寫的是艾格頓荒原，將來我一定要去。他的浪漫，一種平心靜氣的，看不出來的浪漫。我讀時二十多歲，後來又讀過幾遍，對這本書非常迷戀。那位紅土販子，平凡、忠實。總有一天我要去艾格頓荒原住幾夜。

像《黛絲姑娘》這種小說，福樓拜、托爾斯泰，看了都會發呆的。我想像福樓拜會說：「我還是寫得粗了，急躁了。」托爾斯泰，老實的滑頭，也會說：「他的才是小說，我們寫的還不是呢……」如果給杜思妥也夫斯基看，他會說：

「你注意到嗎？我用的方法也是這樣的。他用大調，我用小調。」

除了純粹的文學欣賞，偉大的小說是可以測驗人的。

哈代、杜氏，是一種方法的兩種用處。公平地說，福樓拜、托爾斯泰，是耶穌的衣服的一部分，重外在；哈代、杜氏，是耶穌的心靈的一部分，重內在。排小說的位置，哈代、杜思妥也夫斯基是第一流的。普魯斯特、喬伊斯，不如他們。

藝術家貴在自覺。曹雪芹是半自覺的，哈代、杜氏是恰如其分地自覺；普魯斯特、喬伊斯，太過自覺了。

《裘德》是哈代的壓卷之作，不易讀。我迷戀裘德這個人，他平凡，被人拖下泥潭，最後貧病交逼，高燒瀕死時還在大雨中上山頂赴約。整部書悲愴沉鬱，但偉大在平淡，一點不用大動作。

出書後遭冷落嘲罵。哈代人也老實，居然就從此不寫小說了。如果我活在那個時代，一定仗義執評，痛罵那些有眼無珠的混帳，使哈代先生心情轉佳。現在歷史還了公道，那幫批評家已無蹤影，而《裘德》巍然長存。

我以後還要讀。你們也一定要讀，大陸有很好的譯本。

以後我寫長篇小說，一定要和兩位人物商量——不是模仿——哈代和杜氏，不斷不斷不斷看他們倆的書。

哈代可以教我的，是氣度。向杜思妥也夫斯基可學的，是一種文字的「粘」度，一看就脫不開了。

我們面臨兩種貧困：知識的貧困，尤其是品性的貧困。

哈代，多麼沉得住氣。伏筆嗎？到後來他也不交代了。氣度大！杜氏的結構的嚴密度，衣飾、自然、環境，都不寫，全是人、對話，看得你頭昏腦脹，又心明眼亮。

知識學問是偽裝的，品性偽裝不了的。魯迅，學者教授還沒看清楚，他就罵了。

講文學史，三年講下來，不是解決知識的貧困，而是品性的貧困。沒有品性上的豐滿，知識就是偽裝。

哈代的小說，裡面有耶穌的心，無疑可以救濟品性的貧困。

王爾德的兩大悲哀

英國小說談到這裡，還有兩位可以談談：吉辛、王爾德。

喬治·吉辛（George Gissing，一八五七—一九〇三），短命才子，死後作品被人發掘。長得俊美，聰明，學生時每得獎，立志研究學問，十九歲時卻跟一女子戀愛，造成不幸婚姻。妻子揮霍無度，逼得他偷，進監獄。出獄後流亡美國，靠寫短篇小說謀生，後狼狽回倫敦。他很能寫，特別是《狄更斯評傳》（*Charles Dickens: A Critical Study*），但他敗給一個女人。

奧斯卡·王爾德（Oscar Wilde，一八五四—一九〇〇），生於愛爾蘭都柏林（那兒老出文學家）。父親是名醫，母親是文人，家庭沙龍裡都是名流。幼年即博覽名品，眼界氣度都高闊。高唱唯美主義，宣傳唯美主義，身體力行。訪美，進海關時，人問有何要保險，他說：「除了天才，我一無所有。」

太自覺了。用不著這樣說。

劇本寫得好。散文有《獄中記》（*De Profundis*，一譯《深淵書簡》），看是可以看的，但也就兩三句話可以借借。「太陽照著是金色，月亮照著是銀色，別人的事情，有一天會輪到自己。」說是很會說。大陸有《獄中記》譯本，出書極少，成珍本——珍貴的雜書。蕭伯納認為，即興的辯論，無人能與王爾德匹敵。口才極好。

他的唯美主義，是所謂「高舉旗幟」的。他說：「藝術模仿自然，我看是自然模仿藝術」。《謊言的頹敗》（*The Decay of Lying*），論文，也寫得好。我要損王爾德、羅曼·羅蘭，是我從他們家進出太久，一出門就損——其實他們沒有虧待我。

他說：「所有的藝術都是無用的。」當時這樣說，很痛快。又說：「詩像水晶球，使生活美麗而不真實。」才氣是橫溢的——讓蕭伯納佩服，不容易。他的「為藝術而藝術」，也可謂之「重新估價」。他反功利，反偽道德。他說：「我是社會主義者！因為在社會主義國家，才能人人為藝術而藝術。」

現在我們可以說，那是藝術的屠宰場。我如果帶他參觀，一進門，牆上就掛著一張皮。我告訴王爾德：這就是唯美主義那張皮。

王爾德，高唱唯美主義。訪美，進海關時，人問有何要保險，他說：「除了天才，我一無所有。」

王爾德不愧為一個智者，言論鋒利。不過，有時我想對他說：你別說得太多了。言多必失呀。

「作為一個個性獨特的人，一個善於講話、善於講述軼事的人，王爾德是一個偉大無比的人。」──蕭伯納原話。

「我把我的天才用在生活上，對於藝術，我只用了一點點。」這是他的逆論。在《道林．格雷的畫像》（*Dorian Gray's Picture*）中，他用透了這種逆論。當時看很痛快，現在看，逆論容易討好羨慕智慧的人。我討厭逆論，是因為說者常把讀者看輕。說得通俗點，是小兒科。

我的東西，常被人誤以為逆論，但我與王爾德的區別，是他的逆論基於說明什麼東西，我並不急於說明什麼。他是玉籠中的金絲雀，我是走在外面，聽取一片鳥叫。

為人生？為藝術？這爭論是世界性的。前後一百年，在社會主義國家是動武解決的，從世界範圍看，這場水深火熱的爭論卻愈來愈淡化，現在根本沒有這種爭論了。

大概到我四十歲時，頓悟了：為人生而藝術，為藝術而藝術，都是莫須有的。哪種藝術與人生無關？哪種藝術不靠藝術存在？

黑格爾講，從小孩嘴裡講的格言，和一個成年人講的格言，意思是不一樣的。我是老人了。我為這兩種思潮苦惱過幾十年，現在我悟了，說了，是有意義的。給大家講，是雙重的補課。

我們現在到了一個新的平面，回頭看，有一種重新評價的樂趣。先看中國：魯迅真的是為人生而藝術嗎？他的人生觀還是比較狹隘的；他對人生的回答，還是比較起碼的。徐志摩真的為藝術而藝術嗎？他和藝術根本是一種游離的狀態，沒門兒；他的出國，不過是旅遊，他的東西，沒有點，沒有面，沒有線。所謂江南才子，他不過是「佳人」心目中的「才子」，魯迅根本瞧不起他。他的所有東西都是浮光掠影。

總之，一個文學家，人生看透了，藝術成熟了，還有什麼為人生為藝術？都是人生，都是藝術。

這爭論，人類竟愚蠢了一百年。

少年時，人說我是為藝術而藝術。不肯承認，也不敢反對，好苦啊。

王爾德，文學技巧好，但整個控制不行。唯美到了王爾德身上，變成一種病（張愛玲也有這種病，常要犯病）。

王爾德的童話好。他的《快樂王子》（*The Happy Prince and Other Tales*），是妙品——安徒生是神品——他的語言，妙在英國人才懂得的調弄語言。

他講起話來氣象很大。有一次喝醉後回旅館，見紀德，一見就說：「親愛的，對人類充滿深厚同情的文學，是在俄羅斯。」他又對紀德說：「思想總是朝陰影飛去。太陽是妒忌藝術的。」

說得多好。

他的兩大悲哀：一是唯美而不懂得美。他最喜歡的三張畫根本不美，死神、裸體、翅膀之類。最怕是喜歡什麼，就去藝術中找——這好比一個美食家張開嘴，口中沒有舌頭。二是他在生活上是個失敗者。他自稱「天才用在生活中」，正好相反。健康、靈活、明智、健美，善於保護自己，留後路，這才是生活中用天才。這是要本錢，要條件的。王爾德沒有這個本錢。

什麼是藝術家？要把天才用到生活上而不配，去用在藝術上者，就是藝術家。

要自己識相。

我第一次剃了頭照照鏡子，又黃又瘦，還有什麼希望？這麼一個人，只好乖乖兒畫畫，乖乖兒寫文章，偶有風流，算是意外收穫。偉大、才氣，有什麼用？面對美人，人家一笑，就跟人走了。

我們流亡國外，不好老老實實到中國街去買點菜吃。生活要保持最低限度的瀟灑，不要像王爾德那樣弄到老而丟臉，死在旅店。早年他與情人飲酒，揮霍無度。

他說：耶穌是第一個懂得悲哀之美的人。

最早翻譯王爾德的，是張聞天。尼采的書的譯者，是楚圖南。

要自己會料理自己。思想家，第一不要瘋。藝術家，第一不要倒下去。本來站不直，靠藝術才站站好，怎能跌倒？連藝術的面子也會丟。我寧可同情瘋的思想家，不同情跌倒的藝術家。王爾德沒有晚年。他跌倒了，敗了自己。所謂「不以成敗論英雄」，那是指政治家、軍事家。藝術，就要以成敗論英雄。

哪有「此人寫得不好，卻是個天才」之說？

散文家：德昆西、蘭姆

講講十九世紀的文學批評。

批評成為一種門類，從英國雜誌開始。一是《愛丁堡評論》（*The Edinburgh Review*），創刊於一八〇二年；一是《每季評論》（*The Quarterly Review*），創刊於一八〇九年。兩刊競爭，「批評」於焉誕生。

後又有兩刊出，然後「評論」風行一時。這是文學的新的航向，新的福音（我一直主張辦同人雜誌——可是沒有「人」呀）。

《倫敦雜誌》（*London Magazine*）出來後，更為成熟，全是一流人才一流作品，德昆西、卡萊爾等等。

散文因此風氣大盛。作家各找各的領土，新舊兩派打仗，一時百家爭鳴——豈不有點像我們的「五四」時期嗎？

初期英國散文有三派：一派屬《愛丁堡評論》；一派屬《倫敦雜誌》；一派

不屬上述兩雜誌。

德昆西（Thomas De Quincey，一七八五—一八五九），論文與散文全集，共二十二冊，敘述本領極高，嚴肅而滑稽，幽默而恐怖，最出名的是《一個吸鴉片者的自白》（*Confessions of an English Opium-Eater*），空空實實，真真假假，後來一提德昆西，都要提這本名著。

查爾斯．蘭姆（Charles Lamb，一七七五—一八三四），愈近現代愈受尊敬。我對他一見鍾情；少年時能看到的，不過是別人節引他的話，一看就狂喜：「童年的朋友，像童年的衣服，長大就穿不上了。」好啊！一句話，頭腦、心腸、才能，都有了。

還有「吃飯前的禱告」，他說：「輪到我禱告，曰：『在座沒有牧師嗎？謝天謝地。』」

把憤慨而幽默、淵深而樸素混在一起的，是蘭姆。在世界範圍中，蘭姆、梵樂希，我特別認同。據說蘭姆為人很好，人見人愛，我及不上——我是人見人恨。他熱愛倫敦，我痛罵上海人——他脾氣好，我也該學學。

蘭姆，說：「童年的朋友，像童年的衣服，長大後就穿不上了。」

鄭重推薦蘭姆的《伊利亞隨筆》（*Essays by Elia*），是他的精華所在。另有《莎士比亞戲劇故事集》（*Tales from Shakespeare*），流傳極廣，曾是最流行的英文課本。

他非常敬重古典作品，喜歡古典作品中的恬靜。

最好的東西總是使人快樂而傷心。魏晉人夜聽人吹笛，曰：奈何奈何？

蘭姆寫得這麼好，我怎麼辦呢，也只有好好地寫。

第42講

十九世紀英國文學（四）

卡萊爾　羅斯金　阿諾德　佩特　赫胥黎

1991.4.21

卡萊爾：「沒有長夜痛哭過的人，不足語人生。」

這種類型的文人，中國歷代有的是，認為詩賦小道，安邦定國才是大丈夫所為。我的看法，你要做政治家、教育家，你就去做，別做藝術家。拿破崙指揮軍隊，貝多芬指揮樂隊——這很好嘛。要拿破崙去指揮樂隊，貝多芬去指揮軍隊？

道德在土中，滋養花果——藝術品是土面上的花果。
道德力量愈隱愈好，一點點透出來。
哈代、杜思妥也夫斯基，耐性多好！哪裡宣揚什麼道德。

散文家：卡萊爾、佩特、赫胥黎

批評是很廣義的名詞。講文學史，當然是文學批評。就文學本題講，所謂文學批評，是指散文。歷史學家、善批評者，作品收入散文。

托馬斯・卡萊爾（Thomas Carlyle，一七九五—一八八一），大名鼎鼎，十九世紀後半的大批評家。我讀羅曼・羅蘭和愛默生時，起勁地讀過一陣卡萊爾。我告別羅蘭時，也告別卡萊爾。讀書如交友。讀萬卷書，朋友總有千把個，但刎頸之交，不過十來人。卡萊爾不算。

父為石匠。農家子弟。求學於愛丁堡大學。當時學而優則教（士），他不想去當教士，最終決定堅持信仰，靠講課、寫作維持生活。長壽，身體卻壞，一輩子胃病。

一八二五年出《席勒傳》（*The Life of Friedrich Schiller*）。一八二六年結婚，此後撰稿為生，所作大多為德國文學論文。一八三七年，出版重頭書《法國革命》

（*The French Revolution: A History*）。一八四一年，將多次講演成集《英雄和英雄崇拜》（*Heroes and Hero Worship*。編按：中國譯《論英雄、英雄崇拜和歷史上的英雄業績》）——他的名字與此著作聯在一起。後又出版另一代表性著作《過去與現在》（*Past and Present*）。

怎樣評價卡萊爾？

他是很有魅力的男人，長得雄偉，愛默生推崇備至，敬愛他。我少年時，家中陰沉，讀到卡萊爾句：

> 沒有長夜痛哭過的人，不足語人生。

大感動。又有：「打開窗戶吧，讓我們透一口氣！」（呼吸英雄的氣味），但這種偉大崇高的靈智境界，進去容易，出來很難。一進去，年輕人很容易把自己架空。藝術家不能這樣憑著英雄氣息成長的。一個人要成熟、成長、成功，其過程應該是不自覺、半自覺、自覺這樣一個自然的過程。

羅蘭、卡萊爾對我的不良影響（不是他們不良，是於我不良），是因為他們一上來就給我一個大的自覺，一個太高的調門。

人要從凡人做起，也要學會做觀眾。

羅蘭一上來就起點太高，結果並不長進。他在師範大學時寫信給托爾斯泰，是這點水準，到老得諾貝爾獎，還是這點水準。傅雷也相似，上來就給羅曼・羅蘭寫信，從法國留學回來，到紅衛兵衝擊，還在那些觀點。起點高，而不退到觀眾席，老在臺上演戲，那糟糕極了。後來羅蘭訪蘇，簡直失態。

他是講文以載道的。

卡萊爾在文學上比羅蘭好，辭藻豐富，句法奇拔。他認為無情與冷漠是世上的大罪。他反對一切民主主義，要有英雄偉人出來領導——對的。可是英雄呢？偉人呢？

我以為是不得已，才找個民主制度。民主是個下策。再下策呢？一策也不策——明乎此，才可避免民主的弊端。

其他策，更糟，所以乃為上策。

所謂民主，是得過且過的意思。一船，無船主，大家吵，吵到少數服從多數——民主。

民主是不景氣的、無可奈何的制度。卡萊爾痛恨快速發展的商業工業社會。眼光遠。他反對物質主義。

我與他不同的是，他演講，講正經話，我只能講俏皮話、笑話、罵人、寫散文詩——骨子裡，倒是英雄崇拜。

我反對民主？這話要有一個前提的。要這樣講下來，把民主和英雄主義對比下來，才可以講講。

「歷史是更偉大的聖經。」這話也是他說的。說得好！

我們講文學史，是在講文學的聖經。我們學文學，就是文學的神學。

別說我反民主——別誤解。目前，民主是唯一的辦法。我希望今後東歐、中國有了真的民主，不要是現在現成的美國式的民主。拿一個更好的民主出來，這樣子，七十年受的苦沒有白受。

不能把西方這種暴力、性、刺青……拿來。

約翰・羅斯金（John Ruskin，一八一九－一九〇〇），生於倫敦，蘇格蘭人，父為酒商，童年少年很快樂。一八三九年在牛津大學以詩得獎，四年後發表《近代畫家》（*Modern Painters*），一八四九年發表《建築的七盞明燈》（*The Seven Lamps of Architecture*），一八五三年發表《威尼斯之石》（*The Stones of Venice*），均屬藝術論文集。

他談藝術，談談就談到當時的社會道德，這是他關心的東西。他在倫敦大學講藝術，都宣傳社會道德、人生等等，也是文以載道派。他的目的，想創造純潔、快樂的理想國。

「美學只有建立在道德的基礎之上。」他說。

這種類型的文人，中國歷代有的是，認為詩賦小道，安邦定國才是大丈夫所為。我的看法，你要做政治家、教育家，你就去做，別做藝術家。拿破崙指揮軍隊，貝多芬指揮樂隊——這很好嘛。要拿破崙去指揮樂隊，貝多芬去指揮軍隊？

羅斯金人是好的，心是熱的，這是我的評論。他的觀點今已無人感興趣。

馬修・阿諾德（Matthew Arnold，一八二二－一八八八）。現在還常常提到他。詩人，以批評家傳世。他的可貴，是對工業革命以後的庸俗物質主義大肆攻擊。我們目前所處的平民文化、商品極權，是他預見的社會。他是有遠見的。

羅斯金、卡萊爾，都可為了道德，藝術要靠邊。阿諾德不這樣。他從不標舉什麼具體的道德方向，他知道藝術的道德是在底層。

我常說，道德力量是潛力，不是顯力。

福克納（William Faulkner，一八九七—一九六二）領諾貝爾獎時說：說到底，藝術的力量，是道德力量。大鼓掌。可他平時從來不說這些大道理，他書中不宣揚道德的。

道德在土中，滋養花果——藝術品是土面上的花果。道德力量愈隱愈好，一點點透出來。

哈代、杜思妥也夫斯基，耐性多好！哪裡宣揚什麼道德。

現代文學，我以為好的作品將道德隱得更深，更不做是非黑白的評斷。

他的行文，流利莊重，不明說，多做暗示。他認為文學是人生的批評。我有一句不願發表的話：

約翰．羅斯金，關心社會道德的議題，文以載道。

藝術家是分散的基督。

如果面對阿諾德，我就說給他聽。

沃爾特．佩特（Walter Pater，一八三九—一八九四），他是個老俠客，樣子瀟灑，文章漂亮。唯美主義的旗手，是佩特。唯美主義的健將，都是他的學生，王爾德也在他旗下。

唯美主義起於英國，到法國後，法國人卻很自尊，不提佩特，其實法國那群精緻玲瓏的文人詩人，都受過佩特理論的影響。波特萊爾、魏爾倫、韓波、馬拉美、梵樂希、紀德，都從唯美開始，又能快步超越唯美主義，瀟灑極了。

佩特文體美麗。在西方，這種美麗的論文體是自佩特首創的。在中國，不稀奇。劉勰的《文心雕龍》，司空圖的《二十四詩品》，文字都美極，美得無懈可擊。這本應是文學的菜單，結果菜單比菜好吃。

他的《文藝復興》（*The Renaissance*）和《希臘研究》（*Greek Studies*），都寫得好極。他是文學上的雅痞。《想像的肖像》（*Imaginary Portrait*）是他寫的美好而不可及的傳奇。另有《享樂主義者馬利烏斯》（*Marius the Epicurean*）。此公不能等閒視之。

英國歷史著作，麥考利（Thomas Babington Macaulay，一八〇〇—一八五九）寫過《英國史》（*The History of England from the Accession of James the Second*）和《彌爾頓論》（*Essay on Milton*）。

據說此二書受到現代人的重視，遠超過卡萊爾等人。他的文章無一頁沉悶。他表白的是多數人的見解，可是別人表白不清楚，在他卻是輕輕易易，通而不俗，文筆愉快。實際上，這種才能，正適合寫歷史。

托馬斯．赫胥黎（Thomas Henry Huxley，一八二五—一八九五）。這個人文章要看。很好很好。達爾文的繼承人、發揚者。他是生物學家，雜文、論文、講演，文學價值都很高，看似輕鬆，毫不在意，而又雄辯，旁徵博引。我很喜歡他的文筆，完全是文學家在那兒談科學。請各位留意，碰到赫胥黎的作品，別忘了一讀。

赫胥黎，生物學家，雜文、論文、講演，文學價值都很高。

第43講

十九世紀法國文學（一）

斯塔爾夫人　夏多布里昂　雨果　大仲馬　巴爾札克

1991.5.（缺日）

自己不會寫通俗小說，但我非常尊重通俗小說。這是文學上的水、空氣，一定要有的（但是寫鴛鴦蝴蝶派、瓊瑤這樣的通俗文學，我不要）。
通俗小說最好在三十歲前讀，而且一口氣讀完。

哈代，你要純性地讀；狄更斯，充滿友情去讀；托爾斯泰，可以苛求地讀。可是我讀巴爾札克，完全放棄自己，用北方話說，豁出去了。由他支配，我沒意見。

巴爾札克的手稿，據說是全世界最潦草的。
十九世紀的墨水乾得慢，要用吸墨紙，吸墨紙也是二十世紀初才流行，所以巴爾札克用粉吸墨，像爽身粉、胡椒麵。寫個通宵，他就把粉灑在稿紙上，叫道：「好一場大戰！」

一路講到這裡，大家熟悉的人漸漸多了。

如果問，十九世紀法國文學是誰開的幕呢？大家以前隨波逐流地讀了一些小說，沒有概念，這不是大家的錯，時代使然。

翻譯家做了很多事情。

當時有一本好書《十九世紀文學之主潮》，巨著，涵蓋十九世紀整個世界文學，有全譯中文本，每個作家都有肖像，道林紙精印，我翻來覆去讀。現在的大陸、港、臺作家們可能不記得這回事，書也絕版了。譯者韓侍桁，好像沒去臺灣，也許在大陸，但從不見人提起。

著者，大名鼎鼎：勃蘭兌斯。

文學先驅：斯塔爾夫人、夏多布里昂

我憑記憶，先講講法國十九世紀文學先驅：斯塔爾夫人、夏多布里昂。

大家都說：「法國文學我很喜歡，十九世紀法國文學，那是更喜歡！」——誰是開創者呢？不知道。

要知道，但是不作聲。

斯塔爾夫人（Germaine de Staël，一七六六—一八一七），生於巴黎，隨夫姓。說歌德的《浮士德》是不討好、寫不好的，就是她。

嫁瑞士人，旋離婚。身為法國人，反拿破崙。據傳拿破崙的一個親信與她相談兩小時，回來立即也反拿破崙。拿破崙放逐她，於是她周遊列國。兩部文論集：《文學論》（*De la littérature dans ses rapports avec les institutions sociales*），《德國論》（*De l'Allemagne*），大有名。說理流暢，不加修飾。雖說文學史上有地位，在我說來不太重要。

斯塔爾夫人，十九世紀法國文學的先驅之一。說歌德的《浮士德》寫得不好，正是此人。

夏多布里昂（Chateaubriand，一七六八—一八四八），被稱為法國浪漫主義的父親。他是虔誠的教徒，自己不打浪漫主義旗號，只想好好傳教。文句優美，意象豐富。作品有《基督教真諦》（*Génie du Christianisme*）、《殉道者》（*Les*

Martyrs）、《勒內》（*René*），當時在歐洲大流行。

記得我小時一見他的畫像，一聽他的名字，就以為懂了什麼是法國浪漫主義：鬈髮，長長的鬢腳，大眼，甜美的口唇，高領黑大衣，一手插進胸口，名字又叫夏多布里昂！

小時候其他主義搞不懂，浪漫主義好像一下子就弄懂了。現在我定義：個人的青春是不自覺的浪漫主義，文學的浪漫主義是自覺的青春。

我有興趣的是他的《墓畔回憶錄》（*Mémoires d'Outre-Tombe*），他死後出版，把自己的性格、為人，都說出來。與盧梭《懺悔錄》比：盧梭是假裝的、大有保留的、避重就輕的；夏多布里昂是誠意的，不想譁眾取寵的，不裝腔作勢的，使人看了，想：「啊！原來他是這樣一個人，他沒有我想的那麼高。」這就是夏多布里昂的可愛，盧梭比下去了。

不容易啊！人要做到這樣。可是你去做做看？不容易啊！

沒有人，也沒有神，有資格聽我懺悔。人只能寫寫回憶錄。誰有資格寫懺悔錄？寫什麼懺悔錄?!

人有那麼一種心理，痛悔、內疚等等，放在心裡深思即可。一出聲，就俗了，就要別人聽見——就居心不良。人要想博得人同情、叫好，就是犯罪的繼續。

文學是不許人拿來做懺悔用的。懺悔是無形無聲的，從此改過了，才是懺悔，否則就是，至少是，裝腔作勢。

要懺悔，不要懺悔錄。

夏多布里昂在整個法國文學史上，是個男高音獨唱。思想是舊的，文體是新的，感情是熱的，正適合導引浪漫主義。

接下去，來了雨果、巴爾札克、斯湯達爾、大仲馬、梅里美、福樓拜、喬治·桑等等等等。

到現實主義之後，文學家已難以歸類。

一個文學家、藝術家如果被人歸類為什麼什麼主義，那是悲哀的。如果是讀者、評家誤解的，標榜的，作者不過受一番委屈。如果是作者自己標榜的，那一定不是一流。

王爾德不錯的，但一標榜唯美主義，露餡了。你那個「唯」是最美的嗎？

夏多布里昂，十九世紀法國文學的先驅之一。被稱為法國浪漫主義的父親。

人說杜思妥也夫斯基現實主義，他光火，但有教養，說：「從最高的意義上，是。」

凡概括進去的，一定是二流三流。

不要去構想，更不要去參加任何主義。大藝術家一定不是什麼主義的——莎士比亞什麼主義？

（很嚴肅地）要說笑話時，也不要說：「我來講個笑話。」

雨果——一代文豪

維克多・雨果（Victor Hugo，一八〇二—一八八五），詩人、小說家、戲劇家。一代文豪。十七歲踏上文壇。此後曾任上議院議員，竭力主張民主，拿破崙三世稱帝時逃亡，事敗，乃歸。普法戰爭之際，為祖國盡心效命。死後國喪，巴黎人山人海，備極哀榮。

雨果的文學現象非常龐大。一八二七年他的《克倫威爾序》（*Préface de Cromwell*）發表時，巴黎像造反一樣，宣稱古典主義結束，浪漫主義勝利。

戈蒂耶得到拜訪雨果的榮幸，隔夜要失眠的。

《鐘樓怪人》（*Notre-Dame de Paris*。編按：中國譯《巴黎聖母院》）、《九三年》（*Quatrevingt-treize*）、《悲慘世界》（*Les Misérables*），宏大、奇怪、振奮人心。用的是故事、情節、場面，人物是為故事、情節、場面存在的。

和杜思妥也夫斯基相反：杜的故事情節場面是為人物存在，當人物說話時，故事、情節、場面好像都停頓了，不存在了。

雨果和杜思妥也夫斯基比，杜更高超，符合原理。

雨果不要嗎？要。可以這樣：先看雨果，後看杜思妥也夫斯基。我看雨果，就像看旅遊風景。要看杜思妥也夫斯基，累啦！跟他走，走不完。

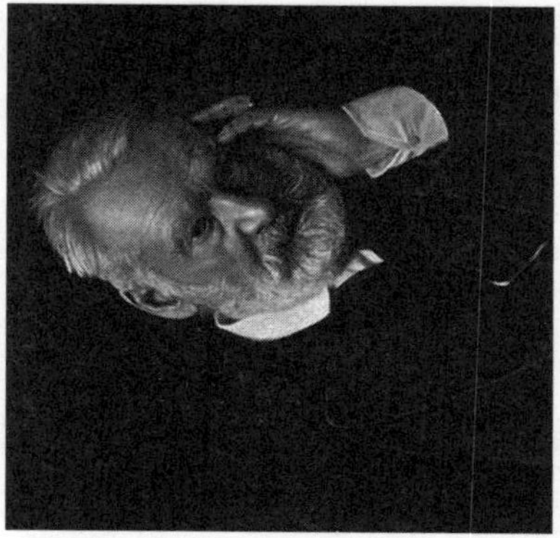

雨果，詩人、小說家、戲劇家。著有《鐘樓怪人》、《悲慘世界》。

雨果是公共建築，走過，看看，不停下來。他不是我的精神血統。

史料：《悲慘世界》出版前，就譯成九國文字。巴黎、倫敦、柏林、馬德里、紐約、彼得堡等，同時轟動。豪華呀！

大仲馬——文學老闆

大仲馬（Alexandre Dumas，一八〇三—一八七〇），有黑人血統。文學老闆。很會經營事業，有二百個夥計，小說工廠，日夜開工，出二百多種小說。《三劍客》（*Les Trois Mousquetaires*）、《基督山恩仇記》（*Le Comte de Monte-Cristo*），法國婦孺皆知，就像舊中國的關公、武松，家喻戶曉。

我常以旁觀者看這些通俗小說：如果沒有《三劍客》，沒有《三國演義》、《水滸傳》，人們談什麼？何等無聊。自己不會寫通俗小說，但我非常尊重通俗小說。這是文學上的水、空氣，一定要有的（但是寫鴛鴦蝴蝶派、瓊瑤這樣的通俗文學，我不要）。

通俗小說最好在三十歲前讀，而且一口氣讀完。

書中結構很簡單：吃得苦中苦，方為人上人。主角唐泰斯（Edmond Dantès）被打成「反革命」，他是靠自我平反，然後，有恩報恩，有仇報仇，報得精緻講究啊。作為一個有心性的男子，人生的快樂無非是有恩報恩，有仇報仇。人生不得此痛快，小說中痛快痛快。

武俠小說之不可取，太脫離現實。

孟子說：「惻隱之心，人皆有之。」

我看未必，倒是「報仇之心，人皆有之」。

但《基督山恩仇記》不是藝術品。我一口氣讀完《基督山恩仇記》，一點不覺得藝術，就覺得我生活了一場，痛快了一場。

大仲馬是個老闆，蘭姆是個朋友，打打電話，散散心。

人生和藝術，要捏得攏，要分得開。能捏攏、分開，人生、藝術，兩者就成熟了。捏不攏，分不開——大家過去不外乎人生、藝術的關係沒擺好，造成你們的困境。

怎麼辦？捏攏、分開，學會了、學精了，就成熟了。

生活大節、交朋友、認老師、與人發生性關係、生孩子、出國，都要拿藝術來要求，要才氣橫溢。

唐泰斯在報恩報仇上才氣橫溢，我把他當人生看的，不是藝術。

你們在海外生活太平凡，太隨俗。沒有警句，沒有伏筆。

大仲馬，著有《三劍客》、《基督山恩仇記》，法國婦孺皆知。

唐泰斯發的是金錢之財，我們要發財，應該發的是天才的才，比伯爵更富有。

巴爾札克——文學的巨人

奧諾雷・德・巴爾札克（Honoré de Balzac，一七九九—一八五〇），文學的巨人。對巴爾札克，不能用什麼主義去解釋了吧。

面對他，思想的深度、文體，都免談。談這些，太小家氣——哈代，你要純性地讀；狄更斯，充滿友情去讀；托爾斯泰，可以苛求地讀。可是我讀巴爾札克，完全放棄自己，用北方話說，豁出去了。由他支配，我沒意見。

他的小說，忽然展開法國十九世紀生活。

坦白一點：本人寫的〈上海賦〉，用的是巴爾札克的辦法。臺灣有老上海來信，說我比上海還要上海——巴爾札克比現實還要現實。

藝術不反映現實。現實並不「現實」，在藝術中才能成為現實。現實是不可知的，在藝術中的現實，才可知。

他人很怪，以為自己善於經營事業，但諸事皆敗，死心寫作，靠稿費版稅，寫作還債，一輩子還不清的債——可見他的生活一點不現實，一進入文學，就現實了。

我早年就感到自己有兩個文學舅舅：大舅舅胖胖的，熱氣騰騰、神經病，就是巴爾札克；二舅舅斯斯文文，要言不煩，言必中的，就是福樓拜。福樓拜家，我常去，巴爾札克家，只能跳進院子，從後窗偷偷看。

他的手稿，據說是全世界最潦草的。

他寫作時穿著浴衣，蓬頭垢面，一個人在房間裡大聲說話，是和小說中的人物對話、吵架。十九世紀的墨水乾得慢，要用吸墨紙，吸墨紙也是二十世紀初才流行，所以巴爾札克用粉吸墨，像爽身粉、胡椒麵。寫個通宵，他就把粉灑在稿紙上，叫道：「好一場大戰！」

他常常忽然失蹤，半年一年沒消息，戈蒂耶、布勒（Louis Bouilhet，「巴那斯派／高蹈派，詩人），好朋友們以為他死了。忽然，下午，高大的巴爾札克衝進來，扔一捆手稿在沙發上，隨之倒下，大叫：「給我吃的！」

巴爾札克，寫作時穿著浴衣，蓬頭垢面，一個人在房間裡大聲說話，是和小說中的人物對話、吵架。

他的世界中，人、事、物，都是誇張的，就方法論言，和米開朗基羅的壁畫是一樣的。

一進入他的書，就感到他每個人物的精力。

福樓拜一定嫉妒巴爾札克，一如達文西嫉妒米開朗基羅。

巴爾札克是動，福樓拜是靜的。巴爾札克、米開朗基羅，多產；福樓拜、達文西，是少作的。

巴爾札克和米開朗基羅是精力的，苦行的，隨便生活的；福樓拜和達文西是精緻的，講究的。

巴爾札克偉大，福樓拜完美。

巴爾札克的生活一點也不愉快。他是文學勞動模範。

他在愛情上是個理想主義者。

每一部都是獨立的，各部又是連貫的。《人間喜劇》（*La Comédie humaine*），總計畫未完成，但和《紅樓夢》缺後半部不一樣。他的未完成不遺憾。

他是整體性的淵博。社會結構、時尚風格、人間百態，什麼都懂。法國小說家中要論到偉大，首推巴爾札克。他的整個人為文學占有，被作品吸乾。人類再也不會有巴爾札克了。所幸我們已經有他。

巴爾札克萬壽無疆！

木心：「這是文學上的水、空氣，一定要有的。」民國版大仲馬小說書影。

第44講

十九世紀法國文學（二）

福樓拜《包法利夫人》 喬治·桑 斯湯達爾《紅與黑》

1991.6.2

福樓拜本人是個對世界的絕望者，深知人的劣敗，無情揭露。他的小說人物都是些不三不四、無可奈何的角色。晚年說：我還有好幾桶髒水（糞便），要倒到人類頭上。

喬治·桑先是個詩人，再做個母親——早年我看不起她，後來一看就服。福樓拜稱她大師。福樓拜言必由衷，不是隨便說說的。

斯湯達爾去今一百五十多年。他是個有酒神精神的文學家。因瞧不起波旁王朝，他的遺體葬在意大利——這不是好事，也不是壞事，是件很有意思的事。

福樓拜——文學的聖人

古斯塔夫．福樓拜（Gustave Flaubert，一八二一－一八八〇），最早被譯為福羅貝爾。巴爾札克是文學上的巨人，福樓拜是文學上的聖人，以文學為宗教的最虔誠的使徒。父為外科醫生，極有名望，反對兒子從事文學。父子吵，父親說：「你學了最無用的東西。」兒子說：「脾臟有什麼用？但割去脾臟，人就死了。」

《包法利夫人》（*Madame Bovary*）出，評價說福樓拜秉承醫學的冷靜，解剖人性。有漫畫，畫他一副醫生打扮，在解剖包法利夫人。

十三歲，在學校小報當文學編輯。少年時的讀物是莎士比亞、蒙田、雨果、馬拉美。練習寫小說，寫上層社會青年的思想感情，流露他鄙視庸俗，浪漫主義情懷。

年輕人都經過浪漫這個階段。我們這兩代人，時代動盪，以革命的名義來表達浪漫——入黨、入團、參加少先隊等等——其實是庸俗。加上運動轟轟烈烈，勞動的辛苦——你們被剝奪了浪漫主義的人權：浪漫主義是青年的人權。

你們的青春沒有花朵，只有標語、口號、大字報。我們的青春在二次大戰烽火中度過，在國共內戰中度過。解放後，浪漫情懷被剝奪。我常常說浪漫情懷，意思是青年應該是這樣的。我們沒有像樣的青春，至今恨恨不已。但可以安慰的是，死乞白賴拉到一點浪漫主義的尾巴，不是豬尾，是孔雀屏，有點光彩的。

「五四」得到的，就是西方浪漫主義的一點迴光返照。

福樓拜的青年期健康，浪漫，像模像樣。他也有苦悶，但我定義他們那種苦悶是「室內的苦悶」。

年輕人無私無畏，其實私得厲害、畏得厲害，只有那點東西，拿掉就沒有了。年輕人談人生，談世界，其實說的是自己。年輕人可以學音樂、畫畫、跳舞，但寫小說不勝任。

對年輕人一生的轉變有重要影響的事件，如下：

福樓拜，死，學生莫泊桑說：「終於，這次他倒下了。文學殺死了他，正如愛情殺死了一個情人。」

死亡，最親愛的人的死亡。
愛情，得到或失去愛。
大病，病到幾乎要死。
旅行，走到室外，有錢的旅行和無錢的流浪。

福樓拜青年時即旅遊，看世界。一八四九年十一月到一八五一年五月，約一年半，他到了南歐，到了開羅、亞歷山大港、大馬士革、貝魯特。三十歲回來，成熟了。三十六歲寫成《包法利夫人》，四十一歲寫成《薩朗波》（*Salammbô*），四十八歲完成《情感教育》（*L'Éducation Sentimentale*）。

初寫《聖安東尼的誘惑》，不成功，遇到大批評家聖伯夫，勸他寫「黃色新聞」。三思，懂了，寫成《包法利夫人》。出書後打官司，說他傷風敗俗。律師為他雄辯，大勝，福樓拜以《包法利夫人》一書題贈。

三部作品都可說是精心結構：《包法利夫人》，極完整的肖像；《薩朗波》，斑斕、廣闊、豐富；《情感教育》，交響樂。

他是世界文學中最講究文法修辭的大宗師。他本人是個對世界的絕望者，深知人的劣敗，無情揭露。他的小說人物都是些不三不四、無可奈何的角色。晚年說：我還有好幾桶髒水（糞便），要倒到人類頭上。

《包法利夫人》最完美，《情感教育》博大精深。他寫的都是些他看不起的人，主張不動感情，不表立場。

我接受福樓拜的藝術觀、藝術方法，是在二十三歲。當時已厭倦羅曼・羅蘭。一看福樓拜，心想：舅舅來了。我到莫干山時，讀的是福樓拜、尼采，由挑夫挑上山。

讀福樓拜，要讀進去，還要讀出來。我讀時，與福樓拜的年代相差一百年，要讀出這一百年來；讀《詩經》，相差三千年，也要讀出來。

上次談到藝術家的道德力量，大家可能覺得是個謎團，也可能終生是個謎團，誰能打破這個謎團，是各人造化。

福樓拜是個道德力量特別強、又特別隱晦的人物。《包法利夫人》在我看來是道德力量非常強的小說，但在當時，幾乎被判為傷風敗俗的大淫書。

藝術家的道德力量究竟是什麼？大家思考。

他的藝術力量很奇妙。寫極平庸的人與事，卻有魅力，仔細看，有美感。有人以燈光照透他的書頁，想要尋找魔力。紀德稱其書是「枕邊書」（他倆是同鄉），將福樓拜視為老師。

我當年的枕邊書是《紅樓夢》。

福樓拜的好友布勒早死，福樓拜難過，喬治．桑寫信勸，勸得好：

「現在我看清為什麼他死得那樣年輕，他的死是由於過分重視精神生活，我求你，別那麼太專心文學、致志學問。換換地方，活動活動，弄些情婦，隨便你。蠟燭不應兩頭點，然而你卻要點點這頭，又點點那頭。」

文學家之間的友誼，真偉大。

那時喬治．桑已經七十歲了，對福樓拜諄諄勸導。福樓拜不響，埋頭寫。三篇世界名著就此產生，永垂不朽，特別是《一顆簡單的心》（*Un Cœur Simple*）。我第一遍讀時，全心震動，之後大概重讀過十幾二十遍，喬治．桑卻沒來得及讀到。

藝術家的關係，就要像喬治．桑與福樓拜之間那樣，說得出，聽得進，做得到。當時喬治．桑對福樓拜的批評指責，是在藝術觀、方法論上面的否定，很重。按世俗眼光，當時福氏已名滿法國，一代宗師，哪容得別人指責？可是福樓拜真會聽勸，起初他還招架辯解，後來竟會說：「那麼，您叫我怎麼辦呢？」

接著，他就一聲不響寫出了《一顆簡單的心》。

福樓拜死，學生莫泊桑說：「終於，這次他倒下了。文學殺死了他，正如愛情殺死了一個情人。」左拉說：「情形是這樣的——魯昂（Rouen）五分之四的人不知道誰是福樓拜，另外五分之一的人都恨他。」

送葬者寥寥。但有左拉、莫泊桑、屠格涅夫——夠了，夠了。

屠格涅夫寫信給左拉，說：「用不著把我的悲痛告訴你。他是我最愛的人。」

把警句寫在案頭床邊，俗。但我年輕時曾將福樓拜的話寫在牆壁上：

藝術廣大已極，足可占有一個人。

喬治・桑——福樓拜稱為大師

喬治・桑（George Sand，一八〇四—一八七六），父母早喪，隨祖母生長於農村。十三歲入巴黎修道院，後來又回農村，在鄉下如饑似渴讀書。十八歲嫁男爵。丈夫只知吃喝，喬治・桑很厭惡，後攜一子一女到巴黎（附帶說，藝術家都有兩個本能：脫離家庭、到大都市——其實有兩面：離家而不入都市，枉然；入都市而仍有家庭，枉然）。以男裝現身巴黎酒吧和沙龍，後以筆名喬治・桑獨立發表作品。

她與繆塞（詩人）、蕭邦，都有情戀，傳說一時。她說蕭邦有最優美的性格，最惡劣的脾氣，最仁慈，又最刻薄。大家聽了叫好，我以為沒說出什麼——情人，情人眼中的人，其實都是這樣。

《安蒂亞娜》、《萊麗亞》、《木工小史》、《奧拉斯》，均為小說，不太好。我要推薦的是《魔沼》（*La Mare au diable*）、《棄兒弗朗索瓦》（*François le Champi*）、《小法岱特》（*La Petite Fadette*）這三本書，喬治・桑的精華，純粹喬

喬治．桑，十八歲嫁男爵。丈夫只知吃喝，喬治．桑很厭惡，後攜一子一女到巴黎。以男裝現身巴黎酒吧和沙龍，後以筆名喬治．桑獨立發表作品。

治・桑風格：溫婉，清麗，細而不膩，好像沒有人在寫，自然流露。

少男少女最難寫——那樣簡單，那樣不自覺——喬治・桑寫來好極了，這是女性的優越。以母愛入文學，但又嚴守文學的規範，對角色不寵愛，不姑息。

她先是個詩人，再做個母親——早年我看不起喬治・桑，後來一看就服。福樓拜稱她大師。福樓拜言必由衷，不是隨便說說的。

三部都是中篇。晚年寫神話之類，不好。生活過得平靜幸福。按理說，斯湯達爾、巴爾札克、福樓拜三者並立，當中夾不進喬治・桑，但喬治・桑實在是偉大的。

斯湯達爾——具酒神精神的文學家

斯湯達爾（Stendhal，一七八三——一八四二），他的《紅與黑》（*Le Rouge et le Noir*），實在是奇峰。《紅樓夢》、《紅與黑》，都是奇峰。原名瑪利—亨利・貝爾。出身資產階級家庭，早喪母。父親是個思想保守的律師，祖父倒有啟蒙思想。斯湯達爾早年曾經從軍，跟拿破崙征戰歐洲。後定居巴黎，讀書，準備寫作。是個強人，好男兒。讀書打仗，讀書寫作，乾脆利落，時間也扣得很緊。

他研究哲學，觀察人物性格，勤學苦修凡五年，自己造就自己，很有辦法。歷練成熟後又入軍隊，擔任皇家及軍隊高職（早年曾隨軍征戰莫斯科）。拿破崙失敗後，斯湯達爾流亡米蘭，與「燒炭黨人」來往，還研究音樂、美術。他的初期文章是評論音樂、美術的。

巴爾札克是大舅，福樓拜是二舅，教我諄諄，斯湯達爾是好朋友。他的初期作品，信不信，是寫莫札特傳，寫海頓，寫《意大利美術史》，寫完獻給拿破崙。也寫遊記，據說博大精彩，筆法潑辣，其時不過三十多歲。

剛才提到的「燒炭黨」，不是真的燒炭，是集會時穿燒炭工衣服。斯湯達爾一直自稱「米蘭人」，希望在墓碑上寫「米蘭人」（藝術家和國家的關係，一個是藝術家無祖國，一個是藝術家決定國家）。斯湯達爾被米蘭人趕出，回巴黎，窮到有時一天一餐。他交遊廣闊，應英國報紙聘寫報導，批評法國時政，死後結集名《英國集》。同時還寫《愛情論》（*De l'Amour*）——世間只有兩篇《愛情

斯湯達爾，以其人生洞見，三十多年歷練，遂動手寫《紅與黑》，一年成稿，乃世界文學史上的奇蹟。尼采對此書極為推崇。

論》：柏拉圖和斯湯達爾──文字不多，點到為止。

一八二三年寫《羅西尼傳》（*Vie de Rossini*），見解警闢，品位高超──個人藝術背景如此，長篇小說中卻一字不談音樂。凡大師，都這樣，內心汪洋一片。後來又寫《拉辛與莎士比亞》（*Racine et Shakespéare*），書中觀點，為後來批判現實主義形成道理。

一八二七年，第一部小說《阿爾芒絲》（*Armance*）問世，可理解為《紅與黑》的前奏。第二部《法尼娜．法尼尼》（*Vanina Vanini*, 1829），革命與愛情之火熊熊燃燒──後收入中短篇集《意大利遺事》（*Chroniques italiennes*）──這時斯湯達爾四十六歲。以其人生洞見，三十多年歷練，遂動手寫《紅與黑》，一年成稿，乃世界文學史上的奇蹟。尼采對此書極為推崇。

他是文學上的軍事學家，還以近二十年間，得成《拿破崙傳》（*Napoléon Bonaparte*）。

五十年來，凡有中譯本斯湯達爾，我都注意，從來沒有一次失望過。欣賞藝術，是單戀，藝術理也不理你的，還是靠愛。《紅與黑》的故事，不講了，去看書。一講，成教條，成故事。可注幾點：「紅」指軍裝，「黑」指教袍。主角于連（Julien）夾在兩者中間，故稱「紅與黑」。

藝術充滿藝術家的性格，比肉體的繁殖還離奇。維特、哈姆雷特、賈寶玉、于連，都流著作者的血。我喜愛于連，其實是在尋找斯湯達爾——上帝造亞當，大而化之，毛病很多；藝術家造人，精雕細琢，體貼入微。

尼采比斯湯達爾晚生六十一年（斯湯達爾死後兩年，尼采出生，所以斯湯達爾沒聽到尼采的讚美），他特別注意斯湯達爾的心理分析。斯湯達爾和梅里美的小說，就是尼采提倡的酒神精神——尼采自己沒有這樣講。他不講，我就講。

斯湯達爾去今一百五十多年。他是個有酒神精神的文學家。因瞧不起波旁王朝，他的遺體葬在意大利——這不是好事，也不是壞事，是件很有意思的事。

第45講

十九世紀法國文學（三）

龔古爾兄弟　左拉　都德《磨坊文札》莫泊桑〈羊脂球〉

1991.6.16

中國近百年沒有文學傑作。所謂繼承本國傳統，吸收外國經驗，都是空話。什麼「典型環境典型人物」，還是不知「人性」為何物，只會向怪癖的人性角落鑽，饑餓呀、性壓抑呀，好像「人性」就只一只胃，一部生殖器。

藝術的功能，遠遠大於鏡子。藝術映見靈魂，無數的靈魂。亞當出樂園——

上帝說：「可憐的孩子，你到地上去，有高山大海，怕不怕？」亞當說：「不怕。」

上帝說：「有毒蛇猛獸。」亞當說：「不怕。」

上帝說：「那就去吧。」亞當說：「我怕。」

上帝奇怪道：「你怕什麼呢？」亞當說：「我怕寂寞。」

上帝低頭想了想，把藝術給了亞當。

龔古爾兄弟、左拉、都德

龔古爾兄弟也是福樓拜時期的文學家。兩兄弟合寫小說，同一個風格，精密觀察社會，尤注目於平民生活。兄艾德蒙（Edmond de Goncourt，一八二二—一八九六），弟儒勒（Jules de Goncourt，一八三〇—一八七〇）。家產富，死後，餘產設「龔古爾學會」，頒龔古爾文學獎。

附帶談談所謂「獎」。凡有數據比較的競賽，才能排名次。賽跑、跳高，快一秒、高一公分，就分冠亞軍。鋼琴比賽，無法公正評判——「獎」這種東西，鬧著玩玩的，庸人們不識貨，憑得獎、不得獎起鬨。這點道理假如不懂，其他的虛榮更是看不破了。

艾米爾・左拉（Émile Zola，一八四〇—一九〇二），生於巴黎，家貧，熟悉下層生活，曾做書局發行員，業餘寫短篇小說，漸有名。任某報編輯，因勇於批評舊派而被去職，更勤於著作（他與塞尚是同窗好友，曾同住，據說左拉成名了，塞尚搬出，不想沾左拉的光）。左拉為著名冤案「德雷福斯事件」（The Dreyfus Affair）辯護，已在晚年，以他的聲望，正面、直接發揮藝術家的道德力量，伸張人道和公理，震動力極強，十分可敬可佩。

據說後來為煤氣毒死，也許是謀殺。

「左拉」與「自然主義」幾乎是同一個詞，我早年不看他的作品，後來耐心讀，才知道寫得很好，悟到藝術品都是藝術家的頭腦、心腸、才能，三者合一。三者可有側重，但不可能單憑其一。全靠才能，沒有頭腦、心腸，行嗎？全憑頭腦，根本不具心腸，也無才能，行嗎？又或者，心腸大好，「無才便是德」，頭腦又是一包漿糊，行嗎？

左拉，家貧，熟悉下層生活。任報紙編輯，因勇於批評舊派而被去職，而更勤於著作。

左拉長於科學分析，但並非純客觀描寫，其實宜於中年、老年讀。他的寫作規模極為龐大：《盧貢·馬卡爾家族》（*Les Rougon-Macquart*），共二十卷，類似巴爾札克的《人間喜劇》。《三城記》（*Les Trois Villes*）三卷：盧爾德、羅馬、巴黎。《四福音書》（*Les Quatre Evangiles*）四卷（非宗教）。論技巧，當然遠不如福樓拜，但奉告諸位別上論家的當，硬把左拉稱為自然主義——單憑頭腦、才能，不夠創造藝術，多多少少要有一份心腸的。

亞方斯·都德（Alphonse Daudet，一八四〇—一八九七）。我有一份偏愛——讀他的書是很好的休息。都德幼年貧苦，身體又弱，後來住在巴黎，靠寫作為生。

讀巴爾札克，讀左拉，要有耐力，要花功夫。一拿起都德的書，輕快、舒適，像赤了腳走在河灘的軟泥上，感覺好像早該這樣享受一下。我特別喜歡他的《磨坊文札》（*Lettres de Mon Moulin*）。有一個我的學生兼朋友的年輕人，曾經寫了九個短篇小說，非常像都德的《磨坊文札》，因為手稿與我的手稿存在一起，「文革」抄家同歸於盡，想想比我的損失更可惜：我能再寫，他卻不能再寫了。

都德，可說以心腸取勝。這個人一定好極了，可愛極了，模樣溫厚文靜，敏感，善記印象，細膩靈動。偶現諷刺，也很精巧。其實內心熱烈，寫出來卻淡淡的，溫溫的，像在說「喏，不過是這樣嘍」，其實大有深意——也可說沒有多大深意，所以很迷人。

我特別喜歡這種性格，沉靜而不覺其寡言，因為一舉一動都在說話。偶爾興奮了，說一陣子，你會感到很新奇，想到他平常不肯多說，真可惜——而他又停了，不好意思了。

這就是都德。他的性格、文風，全然一致。這樣的人品，即使不寫作，我也認他為藝術家、好朋友。推薦你們讀都德的書，從《磨坊文札》開始，然後讀《小東西》（*Le Petit Chose*）、《莎孚》（*Sapho*）、〈達拉斯貢城的達達蘭〉（Tartarin sur les Alpes），寫法國南方風俗民情，處處動人，用不完的同情心。

有人把他比作狄更斯、莫泊桑，我想：你們去比吧，我不比，只在心裡說：「不一樣的，不一樣的。」都德不是大家，但贏得我永遠的愛。別的大師像大椅子，高背峨峨，扶手莊嚴，而都德是靠墊。我不太喜歡二流畫家，更不喜歡二流音樂家，卻時常看重二流的文學家。我感到勞累時，需要靠墊，文學有這好處，畫和音樂不能作靠墊的。為了答謝藝術的知己之恩，我將寫一部分文字給人做做旅途上的靠墊。

都德，寫《磨坊文札》。一拿起都德的書，輕快、舒適，像赤了腳走在河灘的軟泥上，感覺好像早該這樣享受一下。

莫泊桑——老派短篇小說代表之一

居．德．莫泊桑（Guy de Maupassant，一八五〇—一八九三），生於法國西北諾曼第省迪耶普，沒落貴族家庭，舅舅是詩人、小說家，母親頗有文學修養。十三歲到魯昂上中學，老師是布勒。一八七〇年，二十歲的莫泊桑到巴黎讀法律，值普法戰爭，被征入伍。兩年後供職於海軍部和教育部，系小職員。

他在中學時已作多種體裁的文學習作，後來更勤奮。福樓拜是乾舅舅，是他親舅舅和母親的朋友，所以把莫泊桑當外甥，上來就很嚴厲。福樓拜讀了莫泊桑的習作，說：

「我不知道你有沒有才氣，你這些東西表示有某種聰明，但年輕人，記住布封的話，『天才，就是堅持不懈的意思』，用心用力去寫吧。」

福樓拜首先要莫泊桑敏銳透徹地觀察事物，「一目了然，這是才情卓越的特權。」福樓拜的「一字說」，當然更有名：

「你所要表達的，只有一個詞是最恰當的，一個動詞或一個形容詞，因此你得尋找，務必找到它，絕不要來個差不多，別用戲法來蒙混，逃避困難只會更困難，你一定要找到這個詞。」

這話是福樓拜對莫泊桑講的，結果全世界的文學家都記在心裡。

我也記在心裡。以我的經驗，「唯一恰當的詞」，有兩重心意：一，要最準確的；二，要最美妙的。準確而不美妙，不取，美妙而不準確，亦不取。浪漫主義者往往只顧美妙而忽視準確，現實主義者往往只顧準確而忽視美妙，所以我不是浪漫主義，也不是現實主義。

經驗：愈是辛苦不倦找唯一的詞，就愈熟練。左顧右盼——來了，甚至這個詞會自動跳出來，爭先恐後，跳滿一桌子，一個比一個準確，一個比一個美妙。寫作的幸福，也許就在這靜靜的狂歡，連連的豐收。

怎樣達到此種程度、境界呢？沒有捷徑，只能長期的磨練，多寫，多改。很多人一上來寫不好，自認沒有天才，就不寫了，這是太聰明，太謙遜，太識相了。

莫泊桑，契訶夫讚歎：「莫泊桑之後，實在沒有什麼短篇小說可言了，不過大狗叫，小狗也叫，我們總還得汪汪汪地汪一陣子。」

天才是什麼呢？至少每天得寫，寫上十年，才能知道你是不是文學的天才。寫個九年半，還不能判斷呢。斯湯達爾沒寫《紅與黑》時，如果問我：「MX先生，你看我有沒有文學天才？」我就說：「誰知道，還得好好努力吧。」

莫泊桑每寫一篇就給福樓拜審閱，兩人共進早餐，老師逐字逐句評論，一絲不苟。凡有佳句、精彩處，痛加讚賞，莫泊桑是受寵而不驚。如此整十年，莫泊桑愈寫愈多，而福樓拜只許他發表極少的幾篇（中國的武功，練不成，不許下山）。

一八七九年，某夏夜，六位法國文學家聚會梅塘別墅，商定各寫一篇以普法戰爭為背景的短篇小說，滙成《梅塘夜話》（*Les Soirées de Médan*）出版。一八八〇年四月，《梅塘夜話》問世。六位中有五位是著名作家，數莫泊桑是無名小子，但他的〈羊脂球〉（Boule de Suif）被公眾一致讚為傑作中之傑作。

法國文壇一片歡呼，除了莫泊桑，最高興的當然是福樓拜。

除了早年的詩和詩劇，莫泊桑傳世之作都寫於一八八〇年到一八九〇年，計：短篇小說三百篇，長篇小說六部，遊記三部，以及關於文學、時事政治的評論。

所謂社會主義文學理論，總把莫泊桑、巴爾札克、福樓拜、左拉劃為「自然主義」，就是批判和暴露現實的，又對貴族資產者有所留連，唱輓歌。這種論調貌似公正，使中國兩三代讀者對法國十九世紀幾位大小說家有了定見。

什麼「有進步的意義，也有反動的作用」，什麼「有藝術成就，也有時代性局限」，什麼「既要借鑒，也要批判」。好吧，既有如此高明的教訓，他們寫出些什麼呢？

自從列寧提出「黨性高於一切」，藝術要表現黨性，黨性指導藝術，而高爾基宣稱文學即是人學，與列寧唱對臺戲。也許列寧沒有這個意思，沒料到黨性會發展到目前這樣的程度。

僅就文學而論，何以蘇聯也有新的、好的文學作品？巴斯特納克的《齊瓦哥醫生》，索忍尼辛的《癌症病房》，蕭洛霍夫的《一個人的遭遇》，不是寫出來嗎——這不是問題，倒是我上述論點的解答：凡是得到世界聲譽的蘇聯作品，都是寫「人性」，尤其是巴斯特納克，他是馬雅可夫斯基、勃洛克的好朋友，他就是不服從「黨性」。

中國近百年沒有文學傑作。所謂繼承本國傳統，吸收外國經驗，都是空話。什麼「典型環境典型人物」，還是不知「人性」為何物，只會向怪癖的人性角落鑽，饑餓呀、性壓抑呀，好像「人性」就只一只胃，一部生殖器。

回頭再看法國十九世紀的小說家，不是什麼「自然主義」、什麼「批判現實主義」，是一秉西方人文的總的傳統，寫「人」，寫「人性」。追根溯源，就是希臘神殿的銘文：「認識你自己。」

動物不要求認識自己。動物對鏡子毫無興趣。孔雀、駿馬、猛虎，對著鏡子，視若無睹。人為什麼要認識自己呢？一，改善完美自己；二，靠自己映見宇宙；三，知道自己在世界上是孤獨的，要找伴侶，找不到，唯一可靠的，還是自己。

藝術的功能，遠遠大於鏡子。藝術映見靈魂，無數的靈魂。亞當出樂園，上帝說：「可憐的孩子，你到地上去，有高山大海，怕不怕？」亞當說：「不怕。」

上帝說：「有毒蛇猛獸。」亞當說：「不怕。」

上帝說：「那就去吧。」亞當說：「我怕。」

上帝奇怪道：「你怕什麼呢？」亞當說：「我怕寂寞。」

上帝低頭想了想，把藝術給了亞當。

莫泊桑從平凡瑣屑中截取片斷，構思、佈局，別具匠心，文詞質樸優美，結局耐人尋味。契訶夫讚歎：「莫泊桑之後，實在沒有什麼短篇小說可言了，不過大狗叫，小狗也叫，我們總還得汪汪汪地汪一陣子。」

〈羊脂球〉至今看，還是好。〈于勒叔叔〉也好，稍感疏淺露骨。〈項鍊〉大有名，現在讀，可能嫌粗糙了。其他以此類推，是老派的短篇寫法。他的長篇小說平平，只一篇《皮埃爾和若望》（*Pierre et Jean*）極好，好得不像是莫泊桑寫的。

一定要比的話，巴爾札克、福樓拜、斯湯達爾，更有未來的意義和價值。斯湯達爾的光射得最遠，莫泊桑的光較柔和，以後可能黯淡了。地位始終在的，契訶夫還是不及莫泊桑。

莫泊桑體質好，但消耗得厲害。十年全盛期過完，得了嚴重的精神官能症，近乎瘋狂，四十三歲就逝世了。

大器是大器，可惜沒有晚成。

專論短篇小說，十九世紀後半葉到二十世紀上半葉，是一個時期，可以解作老派的短篇小說時期，莫泊桑、契訶夫、歐・亨利，是代表。二十世紀後半葉，世界性地產生了新的短篇小說，體裁、風格，大異於老派。法國、英國領先，美國隨之而起，南美大有後來居上之勢，日本也躥上來了。

中國，不談。

新型的短篇小說，特徵是散文化、不老實、重機智、人物和情節不循常規。最好先讀老派的，再讀新派的。先讀新派，嘴巴刁了，再讀老派會覺得笨、囉嗦，把讀者當傻瓜。

我寫的短篇〈靜靜下午茶〉，在十九世紀中葉是不成其為短篇小說的。給莫泊桑、契訶夫看，會說：「你搞什麼名堂？」可見一百年光景，文學變得多厲害。

正因為不再那麼寫了，我特別尊重老派的寫法，那種寫法，當時非常前衛的。同一道理，當今的前衛作品，將來也會被指為笨、囉嗦，把讀者當傻瓜。王羲之〈蘭亭序〉有說：「後之視今，亦猶今之視昔。」——有一點要申明，上述這種歷史變遷，未必是文學的進步進化，而是文學的進展。藝術沒有進步進化可言，我們讀前輩的書（看畫、聽音樂），應有三種態度：設想在他們的時代鑒賞；據於自己的時代鑒賞；推理未來的時代鑒賞。

舉例：希臘雕像（《勝利女神》〔*Victory of Samothrace*〕），那是三種鑒賞態度都能完全完滿肯定。之外，莎士比亞的詩劇、莫札特的樂曲，也是昔在、今在、永在。也許將來有一天，有一個時代，希臘雕像、莎士比亞、莫札特都被否定，更新的藝術「超過」了他們，怎麼說呢？

好說。不必等未來，已經發生過了。十月革命後，馬雅可夫斯基一群先鋒戰士高喊：「把莎士比亞、托爾斯泰扔到大海去。」中國十年「文革」，號稱八個樣板戲，一個鋼琴協奏曲，一幅油畫，橫掃西方資產階級的全部藝術。

結果是馬雅可夫斯基自殺，江青完了。

這種死，不是殉道，而是無路可走。馬雅可夫斯基，值得惋惜，他無疑是天才。巴斯特納克勸過他，提醒他，他不聽，直到死前在「最後的一次講演」時，才流露政權要逼死他，他知道，在劫難逃，只好以失戀的名義自盡。

我同情他，愛他，忘不了這個俄羅斯血性漢子。

第46講

十九世紀法國文學（四）

羅遜　浪漫派　高蹈派　象徵派　拉馬丁　雨果　維尼　戈蒂耶

1991.6.30

談雨果，我尊敬他，他有偉大的仁慈，他對法蘭西、對世界、對全人類都是愛、都關懷，你在思想、感情、興趣上與雨果歧異，可是面對這樣一位偉人，心裡時時崇敬，這是我們對前輩們應有的態度。

「為藝術而藝術」這個口號，就是戈蒂耶首先提出的，是他結束了浪漫派而開創高蹈派。他以畫家的身分到巴黎，卻成了詩人。

小說家續談：法朗士、布爾熱、羅逖

回到法國十九世紀末葉。法蘭西三大小說家——巴爾札克、福樓拜、斯湯達爾——締造了文學豐碑，接下來再開局面，另闢蹊徑，進入二十世紀了。新的一群法國作家，以法朗士、布爾熱、羅逖為代表。

阿納托爾・法朗士（Anatole France，一八四四—一九二四），以法國之名為名，作品的確是道地的法蘭西風。生長在巴黎書商家，有好古之癖，中學時代對希臘文學情有獨鍾。「德雷福斯事件」中，他曾與左拉等人聯名聲援。歐洲大戰時，發表反戰言論，戰後參加巴比塞（Henri Barbusse，一八七三—一九三五）等作家組織的「光明社」活動，高呼正義與和平，贏得同胞的尊敬。

詞句細膩，風趣雅致，古今題材都能得心應手。《鈿盒》（*LÉtui de nacre*）、《舞姬黛依絲》（*Thaïa*）是古事新編。《紅百合花》（*Le Lys rouge*）、《趣史》（*Histoire Comique*）寫近代。《企鵝島》（*L'île des Pingouins*）諷刺現代文明。《波納

爾之罪》（*Le Crime de Sylvestre Bonnard*）是傳奇性的。他的文字，清澈素淨，思想卻傾向革命。

我總是不喜歡法朗士，我的詩〈劍橋懷波赫士〉有一句「那淵博而淺薄的法朗士，與我何涉」，當然，只是說說俏皮話，認真講起來，法朗士是個十分法蘭西風格的大作家。

保羅・布爾熱（Paul Bourget，一八五二—一九三五），以詩人、批評家聞名，後來才寫小說，注重心理分析。斯湯達爾之後，布爾熱最善表現人物的內心活動。他既攻擊唯美主義，又攻擊唯物主義，他自己是理想主義。他有一書名《近代愛情心理學》（*Physiologie de L'amour Moderne*），我想看而找不到書。誰偶爾碰到了，不妨翻翻，告訴我究竟如何。

畢爾・羅逖（Pierre Loti，一八五〇—一九二三），少年時期任職海軍，經波斯、埃及、中國、日本，後來採為寫作素材。《菊子夫人》（*Madame Chrysanthème*）就寫他在日本的故事。《冰島漁夫》（*Pêcheur d'Islande*）最佳。他與布爾熱不同，布爾熱是心理觀察家，道德觀念很強，羅逖是印象主義者，色彩的、音響的、詩意的，筆下人物鮮活。

上次已推薦過《冰島漁夫》。要看黎烈文譯本，臺灣譯本差強人意。

小說家就講這些。附帶說，那時，俄國小說傳譯到法國，仁慈博愛的情懷感動了法國人，這是一樁大事。

詩派：浪漫派、高蹈派、象徵派

十九世紀的法國詩人，分「浪漫派」、「高蹈派」、「象徵派」。

法國浪漫派的詩，是整個浪漫派文學的一支，破除舊格律，向內取材於心靈活動，遠則上溯中古、遠古，至於異國、異鄉。

高蹈派是對浪漫派的反動。反對浪漫派的粗率，反對熱中於自我表現，主張詩是客觀的、非主觀自我的，而追求純潔、堅固、美麗，其實是一種新的古典主義。他們連莎士比亞、但丁，也嫌野蠻，所以高蹈派的壽命不長。

接著來了象徵主義。象徵主義反對高蹈派的純客觀，他們的批評家古爾蒙

（Remy de Gourmont，一八五八—一九一五）說：「人之所以要寫詩，就是為了表白人格。」

好了，說到這裡，趕快要告訴大家，這三派以及其他許多附屬的派，並不是吵架，更不打架。詩總歸是詩，寫出來，也分不清到底什麼派——高蹈派的德·列爾所寫，象徵派的魏爾倫所寫，我看看都差不多。我覺得這三派的詩人都很孩子氣，喜歡標榜，但不排斥、不仇視，到底是法蘭西人。

論小說，浪漫主義、寫實主義，還分得清。詩、詩人，本來是糊塗的，若要把某詩人歸於某派，其實難。這也是詩的好處，詩人占了便宜。上次講過畫小孩子最難，小孩通體不定型，不易著筆，詩人便是小孩，沒法歸類於派別。

由此可見，西方社會、西方文化之多元，由來已久。

浪漫派詩人：拉馬丁、雨果、繆塞

法國的浪漫派詩歌，始於謝尼埃（André Chénier，一七六二—一七九四）。三十二歲死於斷頭臺。他的詩，從古希臘、羅馬得靈感。這裡，又觸及前面講的奇怪現象了：謝尼埃是浪漫派詩人的先驅，而他的詩又充滿古典精神，寫得柔和可愛，自然而然，放入希臘古詩選中亦不遜色。可惜死得太早。

真正的浪漫派第一大詩人，是拉馬丁（Alphonse de Lamartine，一七九〇—一八六九），少年時喜讀盧梭和斯塔爾夫人的作品，後從軍，不久復歸。因所戀的婦人病死，他將熱烈的情思發為詩歌，於一八二〇年出版，名為《默想》（*Méditations poétiques*），大獲成功，登上大詩人的寶座。之後又發表《新默想》（*Nouvelles Méditations*）等詩集。「二月革命」時曾為臨時政府首領之一，後來帝政復辟，他退休故鄉。著作豐富，除了詩，有小說、雜記、史書等，但還是以詩著稱。

小說《葛萊齊拉》（*Graziella*），極感人，極多情，我非常喜歡，可能帶有自傳性。他的詩卻大概由於翻譯，實在看不出好。但有人說，十七世紀後，法國久未聽到這樣好的詩歌了。

拉馬丁，因所戀婦人病死，他將熱烈的情思發為詩歌，於一八二〇年出版，名為《默想》，大獲成功，登上大詩人的寶座。

雨果是當時的詩王，占了近五十年的王位。小說、戲劇，名聲極大，詩名尤大，抒情詩、敘事詩、史詩，各體俱精，最著名的有：《秋葉集》（*Les Feuilles d'automne*），《光與影》（*Les Rayons et les ombres*），《靜觀》（*Les Contemplations*，亦稱《沉思集》），《街蔭之歌》（*Les Chansons des rues et des bois*），《歷代傳說》（*La Légende des siècles*）。

以我的興趣，寧願看雨果的小說，他的詩總覺得「過時」了。但雨果確實善寫詩。舉一個例，他在某詩中寫一位母親之死，她身邊的孩子才五歲，聰明活潑，嬉鬧歌唱如常，毫不知道母親永遠離開了他。最後，雨果寫道：

悲哀是一只果子
上帝不使它生在
太柔軟的載不起它的枝上

這無疑是詩人的頭腦和心腸，心腸柔軟，而頭腦冷冽，雨果又有才，寫了出來。

我七歲喪父，只記得家裡紛亂，和尚尼姑，一片嘈雜，但我沒有悲哀。自己沒有悲哀過的人，不會為別人悲哀，可見欣賞藝術必得有親身的經歷。一九五六年我被迫害，死去活來，事後在鋼琴上彈貝多芬，突然懂了，不僅懂了，而且奇怪貝多芬的遭遇和我完全不同，何以他的悲痛與我如此共鳴？

細細地想，平靜下去了，過了難關。我當時有個很稚氣的感歎：「啊，藝術原來是這樣的。」那時我三十歲。我的意思是說，三十歲之前自以為頗有經歷，其實還是淺薄。

所以談雨果，我尊敬他，他有偉大的仁慈，他對法蘭西、對世界、對全人類都是愛、都關懷，你在思想、感情、興趣上與雨果歧異，可是面對這樣一位偉人，心裡時時崇敬，這是我們對前輩們應有的態度。

維尼（Alfred de Vigny，一七九七—一八六三），作品不多，卻很精湛，他悲觀而安定，不怨天不尤人，名作〈狼之死〉（La Mort du loup），敘老狼負傷而忍痛，默然而死，極感人。

維尼是世襲的公爵，早歲從軍，退伍後專心寫作，戲劇、小說都很有名，詩集有兩冊，在法國詩臺上占光榮的一席。維尼少年始寫詩，年壽愈高，詩愈精醇，形式愈為齊整。

我崇贊維尼的人品風範，一是敏於感受，二是堅強而上進。拉馬丁的悲哀是個人性的，維尼的悲哀是人類全體性的。他因此通向仁慈，境界開闊。他有一篇小說，可惜名字記不起了，寫一青年被人謀殺，情節奇妙而充滿詩意。我讀了大為感歎，詩人該像維尼那樣，參透人情世故，依然天真純潔。

繆塞（Alfred de Musset，一八一〇—一八五七），十足巴黎風的法國才子，終生不做事，沉溺於醇酒婦人，消耗生命和感情。詩的調子是哀傷的，二十歲就發表作品，此後十年繼續寫詩、戲劇、小說。曾與喬治．桑戀愛，分離後很痛苦，為此寫了不少抒情詩。繆塞的抒情是狂熱的、豪放的，他很崇拜拜倫，論藝術上的精深，他勝拜倫一籌，當然，拜倫的光彩雄偉，無人能及。

高蹈派開山祖：戈蒂耶

戈蒂耶（Théophile Gautier，一八一一—一八七二），「為藝術而藝術」（Art for Art's Sake）這個口號，就是戈蒂耶首先提出的，是他結束了浪漫派而開創高蹈派。他以畫家的身分到巴黎，卻成了詩人。

說來有趣，我在三十歲之前與戈蒂耶好好打過一番交道：那時我要當個純粹的藝術家（現在不純粹了，關心政治、歷史，雜七雜八），戈蒂耶說他喜歡鮮花、黃金、大理石，他不在乎酒，而在乎酒瓶的形式，又說「耶穌並不是為我而來到世界」。單是這些，我就跟他合得來。

讀他的〈莫班小姐〉（Mademoiselle de Maupin）、〈琺瑯與螺鈿〉（Émaux et Camées），附和福樓拜對他的嘲笑：「可憐的戈蒂耶，詩句寫得這樣好，就是寫不好一首詩。」有一次我和郭松棻談天，不知怎麼一轉，轉到戈蒂耶，兩人對答如流，旁邊一位王鼎鈞先生是臺灣資深老作家，他驚駭道：「你們怎麼讀過這種書，我連知也不知道。」其實戈蒂耶並非冷門，不過因為郭松棻對他有所瞭解、有些興趣，使我快慰，有一種他鄉遇故知的親切感。

連續講了龔古爾兄弟、左拉、都德、莫泊桑、法朗士、布爾熱、羅逖、拉馬丁、雨果、維尼、繆塞、戈蒂耶——各位至少多了一些概念，以後在別處聽到，看到，就不致全然陌生了。

博學雖然可恥，但使人心寬。心寬而不體胖，希望大家盡量博學吧。

戈蒂耶，福樓拜對他的嘲笑：「可憐的戈蒂耶，詩句寫得這樣好，就是寫不好一首詩。」

第47講

十九世紀法國文學（五）

德·列爾　波特萊爾　象徵派雙璧　韓波　小仲馬　聖伯夫

1991.9.15

過去的藝術只有一面景觀，波特萊爾顯示另一面景觀；有神性的一面，還有魔性的一面。波特萊爾對魔性有特殊敏感。神性是正面的詩的素材，已用得太多。魔性，別人還看不清時，波特萊爾已先看、先覺、先用、先成功。

百年中，法國文壇非常熱鬧。小說豐富得滿出來，詩都是第一流的。現在不得不講一講戲劇和批評——法國的光榮是在十九世紀，以後不再了。

高蹈派代表德·列爾及其他詩人

上次講了三派：浪漫派、高蹈派、象徵派。高蹈派可以再講講。

法國十九世紀的一派詩風，在浪漫派之後，特點是反浪漫派，以戈蒂耶為開山祖。德·列爾是個代表，標榜避開主觀感情、想像，注重客觀、事實、理性，追求形式完美，手法參考音樂和雕塑。大陸的講法，是形式主義。實際上，他的詩還是有主觀想像，形式也沒有雕刻那樣完美。如此標榜，主要是想避開浪漫主義的流弊。

世上各種主義，都對的——對一面。要這樣看。

浪漫派人物，有謝尼埃、雨果、繆塞等等。到了高蹈派，已是一八六六年。德·列爾出一詩集《今日的巴納斯》（*Le Parnasse Contemporain*），眾詩人參加，有普呂多姆、埃雷迪亞、科佩等。「巴納斯派」，就是高蹈派。

依次講。**德·列爾**（Leconte de Lisle，一八一八—一八九四），生於法屬非洲，少年時遊歷印度。回法後參加傅里葉（Fourier）的社會主義團體，熱中政治活動。後來寫詩，弄翻譯，譯介荷馬的《伊利亞特》（你們看，法國人也到十九世紀才看到荷馬）。詩集有《上古之歌》（*Poèmes antiques*）、《悲歌》（*Poèmes tragiques*）。高蹈派的中堅。

在中國的文藝界，你問德．列爾，很少有人知道。克洛岱爾（Paul Claudel，一八六八—一九五五）還到中國來過，在福建為官數年——聽到你不知道的人事，不要說：「我怎麼不知道！」我要是聽了不知道的人和事，感覺自己無知、慚愧、惶急，願意聽人講。聽了，就知道了——這是正常的，是對不懂的事物的態度。

德．列爾，高蹈派的中堅人物。

德．列爾是詩人中的叔本華，是個悲觀主義者。他對希臘有研究。順便說，高蹈派的詩人都是慕古的。德．列爾反現代文明，讚美死亡。詩風優雅、光潔、純白如大理石。現在對法國還有影響。

對中國一點沒有影響。從前李廣田出過《西窗集》，收入許多法國詩。

普呂多姆（Sully Prudhomme，一八三九—一九〇七），原是工程師，後潛心學哲學，詩集很多。《公平》（*La justice*）、《幸福》（*Le bonheur*），以詩體寫哲學倫理，不用哲學論證，用形象表達。對人類痛苦有很柔和的同感，文字上很恰當。法國哲理詩自他始，此後哲理詩成格局。

埃雷迪亞（José-Maria de Heredia，一八四二—一九〇五），特別講究形式。高蹈派主張非情緒、非個人。埃雷迪亞嚴格遵從這信條，寫古代戰爭，不帶絲毫個人情感。名詩集有《戰利品》（*Les Trophées*），十四行詩體裁（很像宋詞的長調短調。十四行，前八行，後六行，可分上闋、下闋）。

科佩（François Coppée，一八四二—一九〇八），以詩和戲劇著名。家世貧困，一生在貧民窟度過，後來專寫貧民生活，找到自己的風格。他以高蹈派精細的手法寫平民：小販、工人、貧女。

無別無派：波特萊爾、黎施潘

波特萊爾，什麼派都不是。他在法國詩臺的重要性不下於塞尚之於法國近代繪畫史，是一個真正成功的詩人。紀德在《地糧》（*Les nourritures terrestres*）中說：「有個好公式：要擔當人性中最大的可能，成為人群中不可更替的一員。」波特萊爾做到的。

我補充，在許多可能中找一個大的可能，塞尚找到了，大到自己完不成，那麼多後人跟著去實現去發展。

「人群中不可更替的一員」，這是基本的。這就是風格。

偉大人物的話，想想有道理，想想有道理。譬如達文西說：「知與愛是成正比的。」知得多，愛得多；愛得多，知得多。

夏爾・波特萊爾（Charles Baudelaire，一八二一—一八六七），不屬於什麼派，不屬於什麼主義。這是真正偉大的藝術家。向來稱波特萊爾是「惡魔的詩人」，詩人是純潔善良的，怎會是惡魔？我覺得很對——事物有各個面。過去的藝術只有一面景觀，波特萊爾顯示另一面景觀。

有神性的一面，還有魔性的一面。波特萊爾對魔性有特殊敏感。神性是正面的詩的素材，已用得太多。魔性，別人還看不清時，波特萊爾已先看、先覺、先用、先成功。

但回頭看，波特萊爾還是位天使。他是站在現代詩門口的銅額的天使。其實他的手法還是老式的。

現代詩，波特萊爾開了一扇門，韓波開了一扇門。此後，門裡湧出妖魔鬼怪。但波特萊爾和韓波可以不負責任。

一部《惡之華》（*Les Fleurs du mal*），雨果評：「你創造了一種新的戰慄。」他對聲、味、色、香，特別敏感。寫夜、寫死、寫屍布、寫遊魂、寫怪鳥，寫來都很美。一句老話：化腐朽為神奇。

聞一多學的就是波特萊爾。

生活上也追求神奇。吸大麻，情婦是黑種人，得遺產，一天用掉一半。但丁經過了地獄，波特萊爾從地獄裡出來——都有話可以說。

波特萊爾推崇美國的愛倫坡。愛倫坡在美國無聞，先在法國給叫起來的：波

木心書房裡的波特萊爾像。一部《惡之華》，雨果評：「你創造了一種新的戰慄。」

特萊爾翻譯了他的作品。波特萊爾的散文寫得極好，你們讀了，一定覺得：這樣好的散文詩，怎麼以前沒有讀過？

他這種印象、思維、感覺，我們都有，捉摸不著。他卻很精巧，大大方方表現出來。例如〈沉醉〉：

你醒來，醉意減消，去問詢微風波濤、星辰禽鳥，那一切逃遁的，呻吟的，流轉的，歌唱的，交談的——現在是什麼時刻。它們會說，沉醉的時刻，快去沉醉於詩，沉醉於美，沉醉於酒。

氣質和品味，我更近梵樂希。但我一直偏愛波特萊爾。不忘記少年時翻來覆去讀《惡之華》和《巴黎的憂鬱》（*Le Spleen de Paris*）的沉醉的夜晚。我家後園整垛牆，四月裡都是薔薇花，大捧小捧剪了來，插在瓶裡，擺書桌上，然後讀波特萊爾，不會吸鴉片，也夠沉醉了。

他說：巴黎的夜晚，每個窗口亮著燈，真想走到每個窗口看看。

這種感覺，我們不是都有嗎？

又說：香水用完，聞聞還香，伸給狗聞。狗打個噴嚏，走掉。

臨死的一念：呀！世界上好看的、好聽的、好吃的，我經歷過些。可是我也可以弄好看的、好聽的、好吃的，但還沒有弄出來——慢慢死，弄出來。

讓·黎施潘（Jean Richepin，一八四九—一九二六），也不屬於任何派。怪傑。漂泊四方。《窮途潦倒之歌》（*Chanson des gueux*）是他第一本詩集。小說、戲劇都有名，精於心理描寫。調子驚世駭俗，曾被政府送入獄。

象徵派雙璧：魏爾倫、馬拉美

象徵派，也叫象徵主義。到底什麼是象徵主義？

也很簡單。譬如愛倫坡有詩〈烏鴉〉，烏鴉代表命運，代表他靈魂中黑暗的一面，凡寫到烏鴉，就代表這——以一面代表另一面，以顯的一面代表隱的一面。

象徵，是很古老的手法。比、興是也。

法國十九世紀詩，把這種手法用得隱晦，不可捉摸。托爾斯泰對此大加撻伐。托爾斯泰說什麼，發什麼脾氣，讓他說去，最好的辦法是連連點頭，說：「Yes Sir! Yes Sir!」

其實他罵的都是有才華的人。象徵主義的敗類出在二十世紀。托爾斯泰倒是罵得太早了。

象徵派領袖，**保羅．魏爾倫**（Paul Verlaine，一八四四—一八九六），少年成名，天天泡酒吧，少年人前呼後擁。公案：他碰到了韓波，兩人一起闖了大禍。韓波當時從鄉下出來，寄詩給魏爾倫，約見。魏爾倫發現韓波還是個大男孩，成了好友。魏爾倫愛韓波，拋棄妻子與韓波出走，兩人浪遊至英國、比利時，韓波卻一再提出要離開，魏爾倫絕望中槍擊韓波，韓波不死，魏爾倫入獄後，韓波撤訴，魏爾倫出獄，但從此消沉，五十幾歲死。

魏爾倫有大才。詩集《今與昔》（*Jadis et naguère*），情緒細膩而熱烈。自云：

這裡沒有一行不是生命。

魏爾倫（左一），把生命直接放到詩裡，又把詩放在生活裡。韓波（左二），至今仍可說是西方詩的神童。

這是詩人的話。

「如果你願意，那麼一起走。不願意跟隨，那我一個人走。」他說。他把生命直接放到詩裡，又把詩放在生活裡。論文集也出色。名著《詩藝》（*Art poétique*），第一個提出音樂是一切藝術的最高點：「藝術不必清晰，不必理論，不必要機智，而必須要音樂。」

他寫詩不拘格律。「自由詩」始自魏爾倫。

寫過宗教詩，據說是法國文學中最優美的宗教詩。說明他雖縱酒，但始終知道感情的昇華。

品德、思想、作風，都好。他對韓波一往情深，而韓波是野馬，不回頭。

馬拉美（Stéphane Mallarmé，一八四二——一八九八），又是一個大詩人，可與魏爾倫並稱象徵派雙璧。

馬拉美終生做一個中學教師（舒伯特是個小學教師）。沉靜的，自我完美的，柔和，高超，誨人不倦。他真是一代宗師。紀德什麼的，都從他那裡來。他說，我寫詩，就是為了詩。德布西是他的好朋友，《牧神的午後》（*L'après-midi d'un faune*），以馬拉美詩為本。

詩幽暗晦澀，連他的好友也不能完全理解。有時又會寫得好比太陽出，一目了然，讀起來要著迷，柔美、婉轉，非常享受，好像吃東西。

還有《片葉集》（*Pages*），富於音樂性，故法國以外讀者少，連法國讀者也少。以中文讀，也可讀出韻致。他是美文學，清醒，頹廢，如果李商隱懂法文，一定與馬拉美傾談通宵。二十歲前，我曾一味求美，報紙也不看——受他影響。宋詞。馬拉美。後來醒過來了：一個男人不能這樣柔弱無骨。是骨頭先醒過來。

他是美人魚之歌，水手都會迷得跳下去。

他人品道德硬錚錚的。紀德臨死以前回憶馬拉美，寫得好，好得像是馬拉美的遺囑。紀德對他感恩戴德：「我們再也管不了這個世界。最近得到非洲少年來信，還在想人類得救問題，使我這個行將就木的老人還不至於絕望地死去。大地還有鹽味。」

馬拉美的學生中，有的信仰宗教，有的信仰法西斯。

馬拉美，說：我寫詩，就是為了詩。

韓波——西方詩的神童

韓波（Arthur Rimbaud，一八五四—一八九一），至今還可說是西方詩的神童。極度早熟。今年（一九九一年）是他一百年歿日，我為文論韓波，二萬字，十一月出版。

一生下來，助產小姐出外取水，韓波已從床頭爬下來到門口，雙目圓睜。幼年讀書，成績令老師驚訝。後來翻翻畫報，作起詩來。不要旅行的，翻翻畫報就行了。很小就想離開家，每次出門，不帶一分錢。

天才有共性，內在共通。去體會分析這種共性，很有趣，很有玄學價值。聽到聶魯達說馬雅可夫斯基和韓波很相像，我心中狂喜。沒有人知道我為什麼狂喜。我寫他，心中充滿對他的愛，因為是愛，不能不說老實話。

他寫過〈醉舟〉（Le bateau ivre），我以之題名〈醉舟之覆〉，開頭是引彌爾頓詩「惡呀，你來作我的善吧」。

我愛的物、事、人，是不太提的。我愛音樂，不太聽的。我愛某人，不太去看他的。現實生活中遇到他，我一定遠遠避開他。

這是我的乖僻。藝術家的乖僻，是為了更近人情。明白這種乖僻，對米開朗基羅，對貝多芬的荒誕行為，感到特別親切。

我愛韓波，總得說幾句話。一拖四十年，今年終於將這份債還了。

韓波與馬拉美也很好。韓波詩中也富音樂性。

我在文中很殘酷地處理韓波。我對他進行了一次情殺。魏爾倫打中他的左手，我中其心臟。

韓波，無法對付的。永遠那麼自信、狂妄。他、馬雅可夫斯基、葉賽寧，是世界不寵他們，他們自己寵壞自己，都是自戀狂。

作品有《地獄一季》（*Une Saison en Enfer*）、《彩畫集》（*Illuminations*）。不多講，大家看我的文章。

還有象徵派詩人拉佛格（Jules Laforgue）、古爾蒙（Remy de Gourmont），略過。

戲劇家及批評家

講講十九世紀法國的戲劇和批評。

百年中，法國文壇非常熱鬧。小說豐富得滿出來，詩都是第一流的。現在不得不講一講戲劇和批評——法國的光榮是在十九世紀，以後不再了。

中國的唐朝，離我們太遠了。以後要出，只有像曹雪芹那樣的文學上的孤家寡人。

十九世紀法國戲劇是隨浪漫主義一起來的（所謂打倒古典主義，是打倒偽的、僵化的、教條化的古典主義）。當時法國劇壇上，偽古典主義是有霸權的。

大仲馬寫了一百多個劇本，《亨利三世及其宮廷》（*Henri III et sa Cour*）、《安東尼》（*Antony*）是代表作。《亨利三世》是丈夫逼妻子誘其情夫來，殺之。《安東尼》是情人殺人妻，告訴丈夫說：「她是純潔的。我殺她，是我愛她，她不愛你！」

雨果、維尼、繆塞，都寫劇本。雨果向以情節勝場：《艾那尼》（*Hernani*）寫一個貴族女不愛王子，愛強盜（莊子也愛強盜）；《呂伊．布拉斯》（*Ruy Blas*），敘皇帝愛上了仇人派來的間諜。這種詭譎的劇情，也只雨果大手筆才能寫得華婉動人。維尼寫了《查特頓》（*Chatterton*），細膩活潑。繆塞的劇本放肆任性，以為上不了舞臺，上演後大受歡迎。而最轟動的，還是小仲馬的劇本。

小仲馬（Alexandre Dumas Fils，一八二四—一八九五），大仲馬的私生子，家教嚴，被關起來，寫完再放出來。有《茶花女》（*La Dame aux Camelias*）等二十多個劇本。論技巧，勝於大仲馬，結構嚴密，人物真切，在法國長期有影響。

到了亨利．貝克（Henry Becque，一八三七—一八九九），風氣轉移，以直覺觀感入劇，開「自由劇」先河。

小仲馬，大仲馬的私生子，家教嚴。著有《茶花女》。

安德烈・安托萬（André Antoine，一八五八—一九四三），寫法比較現代，將人生一片片切開，放到舞臺上，較自由，但不加渲染的真實，觀眾難以接受。

莫里斯・梅特林克（Maurice Maeterlinck，一八六二—一九四九），比利時人，法文寫作，象徵主義。

當時社會劇和心理劇寫中產階級形形色色。作者有白里歐（Eugene Brieux）、拉夫頓（Lavedan）等。

以下講文藝批評。法國在一八二四年創辦《地球報》（*Le Globe*），指導文藝運動，引介各國作品。

十九世紀法國第一位大批評家是**維爾曼**（Abel-François Villemain，一七九〇—一八七〇），作品是他的文學講義，他是文學的史家。

尼撒（Nizard）與維爾曼觀點相反，重理想教導，認為文藝是知性的，時代、個人，他不管。

哪個對？都對。對了一面。

更大的批評家上場了：聖伯夫（Sainte-Beuve，一八〇四—一八六九），即批評指導福樓拜的那位。本為醫生，談談談談，就棄醫從文，在報上發表談話、文論，匯成《星期一評論》（*Causeries du Lundi*），歷十一年。他的治學方法是個案研究，常為了深究某一個作家，閉關十五天，從家世、生平、性格，慢慢體味。他在《文人寫照》（*Portraits littéraires*）中試圖建立一種批評的科學，立意偉大。但這是不能成功的。

丹納（Hippolyte Taine，一八二八—一八九三），師承聖伯夫，立科學批評法，仍嫌偏激。先是教師，後專攻文學。說「生活是為了思想」，出《英國文學史》（*Histoire de la littérature anglaise*），序言標榜治文學史需從三項下功夫：一，種族；二，時代；三，環境。每個作家受制於這三大影響。這種極平常的見解，當時竟被奉為圭臬。後來才有人批評他過於機械，愈到近代，丹納的方法愈遭非議。

聖伯夫，大批評家，本為醫生，後棄醫從文。福樓拜初寫《聖安東尼的誘惑》，不成功，勸他寫「黃色新聞」的，正是聖伯夫；後即成《包法利夫人》。

勒南（Ernest Renan，一八二三—一八九二），與丹納相反，重理想，偏懷疑主義。對宗教有深入研究，不像丹納那樣立模式。遊耶路撒冷，寫《耶穌傳》（*Vie de Jésus*），寫成一個偉大的人，出書後轟動，中譯本稱《人之子》（編按：現中國譯本為《耶穌的一生》）。又有《基督教的起源》（*Histoire des origines du Christianisme*）。文體莊嚴細膩，真正的基督徒，破迷信，還耶穌真相。

這兩課一共講了多少？斯塔爾夫人……。

丹納，師承聖伯夫，立科學批評法，仍嫌偏激。

第48講

十九世紀德國文學

施萊格爾　諾瓦利斯　霍夫曼「少年德意志」海涅

1991.10.6

得不到快樂，很快樂，這就是悲觀主義。如此就有自知之明，知人之明，知物之明，知世之明。
一切都無可奈何、難過的，但是透徹。

海涅稱得上是浪漫主義的兒子，既充滿夢想，也面對現實。他的象徵性介於兩者之間：歌詠仙島的美麗，又為貧民的苦難吶喊，在陶醉與絕望之間，互不礙。

光明磊落，是態度，不是藝術；隱私，更不是藝術——兩者在一起，就是藝術。
私，愈隱愈私；光明，愈磊落愈光明——愈是光明磊落地說隱私，藝術愈大。

先打招呼：十九世紀德國文學不能和法國比。自歌德、席勒始，影響不衰，但不如英法。原因是拿破崙打到德國，德國即俯首聽命，戰敗國心態。老回想中世紀的光榮，當時德國建造了宏麗的教堂。

中國人講德國貨好，恩格斯時代卻以為德國貨最差。德國人非常愛國，自尊。德國浪漫主義的精神所在，就是慕古和愛國。到叔本華，德國文學才出光華（大哲學家，都和文學一氣）。

浪漫主義第一期

從第一期講起。先有蒂克（Ludwig Tieck，一七七三—一八五三），生於柏林，功在推動浪漫主義詩潮。主要作品是童話，才不甚高（弄童話，總得是詩人。安徒生是詩人）。

施萊格爾（Friedrich von Schlegel，一七七二—一八二九），理論家，浪漫主義批評家的領袖。他哥哥威廉是翻譯家，譯了莎士比亞的作品——可憐啊，當時德國人還沒有讀到莎士比亞！近代文學，沒有翻譯，不可設想。民國時稱創作是處女作，翻譯是媒婆：「啊，又在做媒婆啦？」「是呀，我做不了處女呀！」

什麼叫「嘉年華」？就是狂歡節，和「謝肉祭」是一回事，嘉年華（Carnival）是音譯。當時愛倫坡譯介到法國，如同嘉年華，大轟動。俄國文學譯介到法國，又大轟動。

少有一種中國的新譯本超過老譯本。中國有些新譯家和新詩人一樣，寫封信，寫個便條，別字連篇，文句不通，卻在翻譯世界名著。

還有諾瓦利斯（Novalis，一七七二—一八〇一），詩人。我喜歡他。出書後，許多別人的文中接引他的文句，說得好極了。只活了二十九歲，死於肺病。我少年時見他一張銅版肖像，眼神特殊，一直不忘——人是可以貌相的。

施萊格爾（上）浪漫主義批評家的領袖。諾瓦利斯（下），詩人，有詩集《零片集》。

從他身上說，以貌取人是行得通的。心有靈犀，一點是通的。有詩集《零片集》（*Fragments*）。他的句子，一讀狂喜，通靈。

浪漫主義第二期

德國浪漫主義第一期壽命很短，止於一八〇四年。當時，德國政治很暗淡，神聖羅馬帝國鬆散凋零，被拿破崙打壞了。詩人、作家們的愛國心給激發起來。這一時期，有阿爾尼姆（Ludwig Achim von Arnim）、格雷斯（Joseph Görres）、布倫坦諾（Clemens Brentano）、格林兄弟（Brüder Grimm）等等，他們不再沉湎於浪漫主義第一期的想像，轉而寫當代的現實生活，編寫德國民間故事，追寫國民的歷史。一八一三年，拿破崙敗於莫斯科，德國人又唱起愛國詩，但無什佳作。這一時期的主要成就和光榮，是克萊斯特（Heinrich von Kleist）的戲劇和小說（略記）。

詩人中，呂克特（Friedrich Rückert）有崇尚東方的傾向。當時所謂東方，止於波斯、阿拉伯。

中國從未被西方瞭解過。太可憐，太神秘。中國，不可能被西方漢學家來瞭解，還得我們自己來——用他們聽得懂的話，告訴他們不懂的事。

所謂東方，中國才是代表，補給西方，正是對的，因為西方最缺的就是中國的東西：含蓄、以弱制勝。東方西方要是真的相通，文明才開始。可是要喚醒東方，中國，非得西方來理解。

要講清楚：我講的中國，是指嵇康他們。我講俄國人，是講普希金，不是講他的第九世孫——一個大胖子，又胖又蠢。

小說領域的三位代表性作家：富凱、霍夫曼、赫林。

富凱（Friedrich de la Motte Fouqué，一七七七—一八四三），一生在中世紀騎士時代氣氛中（戰敗國心態：慕古、愛國）。中國也如此。歷史上許多智者不理會他存在的時代。米芾收字，只收到晉代為止，唐字不收。蒙田只和古人交朋友。海德格爾（Martin Heidegger，一八八九—一九七六）只讀希臘古文，人問他現代如何，他想想，說：「梵谷畫的靴子。」

希臘古文——梵谷的靴子。

所謂理想主義，要嘛是向未來看，要嘛，其實是向古代看。「現在」沒有多大意思。

霍夫曼（E. T. A. Hoffmann，一七七六—一八二二），他是天才的作家，多寫超自然的世界，搞場面，弄氣氛。霍夫曼竭力模仿司各特，但不及。

浪漫主義最後一期

德國浪漫主義最後一期，以烏蘭等作家為代表。**烏蘭**（Ludwig Uhland）是有名的中古研究者，以抒情詩聞名文壇。**莫里克**（Eduard Mörike）詩才一流，也寫小說。**萊農**（Nikolaus Lenau）是奧地利人，天性悲觀，來到美國，失望，又回到歐陸，悲觀愈深，瘋狂。情緒、思想，都悲觀。萊農像拜倫，都是絕望者。萊農在奧地利是大詩人。

什麼是悲觀主義？我以為就是「透」觀主義。不要著眼於「悲」，要著眼於

霍夫曼，多寫超自然的世界。

「觀」——萬事萬物都會過去的，人是要死的，欲望永遠不能滿足，太陽底下無新事……這就是悲觀。悲觀主義是一個態度，是一個勇敢的人的態度。

得不到快樂，很快樂，這就是悲觀主義。如此就有自知之明，知人之明，知物之明，知世之明。

一切都無可奈何、難過的，但是透徹。

十九世紀浪漫主義的精髓，都在音樂中，德國驕傲的是音樂。音樂與文學關係，是看在歌劇和歌曲。韋伯（Friedrich Wilhelm Weber）、馬希納（Heinrich August Marschner）等等的歌劇，舒伯特、舒曼（Shumann）的歌曲，是浪漫主義頂峰。

叔本華、尼采，不是浪漫主義。他們深遠影響到德國文學及世界文學。叔本華的隨筆是很好的散文。尼采的《朝霞》、《藝術的啟示》，特別是《查拉圖斯特拉如是說》，是一流的藝術品。可惜我們不懂德文，聽說尼采原文讀起來鏗鏘有力，墜地作金石聲，以後找個純種的日耳曼男人朗讀幾段《查拉圖斯特拉如是說》聽聽。

說尼采是哲學家，太簡單了。我以為他是：一個藝術家在竭力思想。

我常想：尼采，跑出哲學來吧！

海涅——「少年德意志」代表作家

一八三〇年七月，法國革命震動全德，產生「少年德意志」（Junges Deutschland。編按：或譯「青年德意志」）文學運動，作風寫實，傾慕自由，最有代表性的作家是海涅。

海因里希·海涅（Heinrich Heine，一七九七—一八五六），德國猶太人。他稱得上是浪漫主義的兒子，既充滿夢想，也面對現實。他的象徵性介於兩者之間：歌詠仙島的美麗，又為貧民的苦難吶喊，在陶醉與絕望之間，互不礙。

「我同情革命。但我知道有一天無產階級會把藝術打得粉碎。」他說。

海涅交織的是愛美之心和同情心。他要是活在現代，會好得多，可以心安理得愛他那些藝術——幸福，就是心安理得地愛藝術。

我青年時，愛藝術，但愛得心不安、理不得——在中國，在那時——直到一九八二年出來了，才愛得心安理得。這過程，說說容易，一掙扎，五十年。

最高興的是：我對了，他們錯了。有時走在路上，忽然一高興：「我對了。他們錯了。」

他們的勢力真是大呀！

一個人，只要心裡有了愛，一生就弄得半死不活——這是海涅的散文。我對普希金，一直未解除「敬意」，但和海涅是赤腳兄弟，打打鬧鬧。海涅和安徒生是好朋友，居然寫詩送給安徒生，一起划船。

原文是這樣：

誰有一顆心，心裡有愛，就被弄得半死不活。

海涅，說：「我同情革命。但我知道有一天無產階級會把藝術打得粉碎。」

要敢於和古人稱兄道弟，親密無間。不是高攀。藝術面前人人平等，這樣，孤獨的內容就多了，這樣，藝術視你為「歸人」，而不是「過客」。四海之內皆兄弟，指的是精神界，在這精神界裡，是兄弟。這兄弟有三類：

架上書、案頭書、枕邊書。

精神世界再高貴，也是貞潔的，透明的，無私的。我們講文學史課，勝於讀書，就好在可以講私房話。

要守住：公開場合，正式發表，不能講私房話。將來出我的講稿，私房話出不出？思考題。

其實很簡單，把「不能講的」，也講出來。

藝術，是光明磊落的隱私。

光明磊落，是態度，不是藝術；隱私，更不是藝術——兩者在一起，就是藝術。私，愈隱愈私；光明，愈磊落愈光明——愈是光明磊落地說隱私，藝術愈大。

從來的大藝術家都是諱莫如深。

耶穌有多少隱私！

一八二七年海涅詩集《歌集》（*Buch der Lieder*。編按：中國今有譯本《青春的煩惱：海涅詩歌集》）出版，滿紙夜鶯、玫瑰、紫羅蘭。為什麼呢？當時這些已用濫，他要再來用，以示他用得好——禪家叫做「截斷眾流」。不解者罵他不誠懇，其實是他年少氣盛（三十歲前作品）。後來有《北海集》（*Die Nordsee*），就愈寫愈誠摯了。七月革命使海涅把法國當成新耶路撒冷。他遷居巴黎，寫了很多散文。

左派嫌他不革命，右派嫌他不夠藝術。

讀海涅，要讀他的人格——把詩意擴大到整個人格，可放詩意處，就放上詩意：這是普希金。

他的風采，有逸氣。丹麥的勃蘭兌斯愛海涅，說他是一隻羚羊，抓他不住。看一個詩人，不要完全注意他的詩——他的肖像，散文，他的整個人。海涅是猶太人，無祖國。他是世界主義的，而德國人當時國家至上。他心儀法國氣質，又佩服拿破崙。

他沒有一首詩我讀來完全欽佩（可能因為詩太難譯），但他的散文，我沒有一篇不佩服：逸趣橫生，機智雄辯。他的哲學論文、遊記雜感，都好透了，處處見到他這個人，一看就知道是個大詩人在寫散文，左顧右盼，神采風流。他說黑格爾是條蛇，又說亞當夏娃中的那條蛇，是女的黑格爾。又說：「姑娘，讓我吻你，反正我走了就不會回來的。」

「文革」期間，陳伯達在中央會議上嘲笑海涅，我實在氣憤：他也配對海涅亂叫。結果我被批鬥。

海涅晚年臥床，雙目失明，肖像憔悴，卻永遠俏皮。有詩給妻子：

親愛的，我知道我死後
你會常來看我。
來時步行，
回去千萬坐馬車。

懇切，又是說笑話。我當時看到這首詩，心頭一酸、一熱。這才叫詩（二十多歲寫不出的，非得老了來寫）。

好，講到這裡。海涅死了，講別人。

民國版海涅作品書影。

蒲尼（Ludwig Börne）是「少年德意志」的中堅分子（海涅也參加，若即若離），善寫政論。

這又讓我想起魯迅。所謂短兵相接，我總認為是報界巨擘的事，大文學家、思想家，除非實在讓不開，則挺身而出，但總不必糾纏。大骨節眼，大轉折點，「投一光輝」才好，這才是為先驅——海上的燈塔一定要有高度，不能低於水面，而且一定是固定不動的，不能游來游去。我看魯迅雜文，痛快；你們看，快而不痛；到下一代，不痛不快——而今燈塔在動，高度不高，其間不過一百年。

個人遭遇時代，有人手舞足蹈，有人直接介入。我以為，遭遇大事要先退開。退開，可以觀察。誰投入呢？有的是。

我不是燈塔，但可以小小發點光，充充浮標。我的象牙塔移到海上，可以作燈塔。

真的燈塔，是象牙塔。

第49講

十九世紀德國文學、俄國文學

《茵夢湖》 華格納 《帕西法爾》 如科夫斯基 普希金

1991.10.20

俄國文學實發於十九世紀，就一百年，天才紛紛降生，這是一大異象，誰也解釋不了。起初當然受歐羅巴影響，不到百年，俄國文學成熟了，反過來影響歐羅巴，整個世界忙不過來地讀俄國文學。

任何天才免不了模仿期，而天才的特徵，又是不顧死活要找自己的風格。「風格」的定義，我最近想到的詮釋是：「敏於受影響，烈於展個性，是謂風格。」

筆和小提琴一樣，不能拿小提琴殺敵。你要搞政治？不如搞軍事，搞軍事，不如搞政變——一張小紙條，取你千軍萬馬。

德國小說、小說家

小說在古代德國（古典文學時期），不足道，浪漫主義時期也不見不朽的大作。十九世紀，小說活躍起來。一是主觀命題，以古茨科（Karl Gutzkow）為代表，代表作是《精神的騎士》（*Die Ritter vom Geiste*）。一是描寫客觀，以伊默曼（Karl Leberecht Immermann）為代表，代表作是《奧皮霍夫》（*Der Oberhof*）。

「五四」的新文藝青年，最愛讀《少年維特的煩惱》；最風魔的卻是《茵夢湖》（*Immensee*），作者是德國的**施篤姆**（Theodor Storm，一八一七—一八八八），當時幾乎時時處處碰到人家在讀《茵夢湖》，我一時找不到，急死了，終於找到，不過是寫初戀、失戀，情景交融，很柔和，很羅曼蒂克，但我本能覺得這類純情的作品不經久。現在看，《少年維特的煩惱》站得住，《茵夢湖》已被忘記了。你們有機會遇到《茵夢湖》，不妨大略看看，藉此知道「五四」時期年輕人的心態和取向。

當時德國小說家甚多，史比爾赫根（Friedrich Spielhagen）、法萊泰（Gustav

Freytag）、海澤（Paul Heyse）、畢齊烏斯（Albert Bitzius）、奧爾巴哈（Berthold Auerbach）、羅伊特（Fritz Reuer）、凱勒（Gottfried Keller）、馮塔納（Theodor Fontane）等等，現在少有人提起了。我認為邁爾（Conrad Ferdinand Meyer，一八二五—一八九八）的短篇小說最傑出，風格簡明，客觀到了冷酷的地步。

德國戲劇家三代表及其他

當時的德國小說不如德國戲劇。提到戲劇，就想到華格納，其實有三人，均為代表：黑貝爾、路德維希、華格納，三個人都生於一八一三年。前兩位在德國是廣為人知的，在中國卻不知名。

理查·華格納（Richard Wagner，一八一三—一八八三）寫的是「樂劇」（Music Drama），與一般歌劇的區別是：歌劇主要是唱，樂劇則以樂隊與歌唱並重。華格納本想寫交響樂，聽貝多芬，自知不敵，遂寫樂劇。他生活豪奢，常背巨債，一時想去做強盜，臨別聽貝多芬《第九號交響曲》，決定還是做音樂家。

華格納的樂劇，只能聽，看不得。最好的作品是《崔斯坦與伊索德》（*Tristan und Isolde*）和《帕西法爾》（*Parsifal*）。《崔斯坦與伊索德》寫愛，寫情欲。初演，尼采說：

「第一個不協調和絃出，回答了蒙娜麗莎之謎。」

華格納好用半音，後人多受影響。《帕西法爾》，可謂得道，成聖，恬淡空曠，其中有一段〈快樂的星期五〉，寫耶穌受難。他是藝術家中最霸氣的一位，易招反感。托爾斯泰一見之下，奮起搏擊。但托爾斯泰錯了，華格納的真摯、深沉，尤其到了晚年，真正爐火純青，反璞歸真，《帕西法爾》是少數幾個藝術的極峰，可以說是托爾斯泰理想的藝術。我初聽《帕西法爾》，覺得藝術到這樣子，無法批評。

華格納，樂劇《帕西法爾》是少數幾個藝術的極峰。

黑貝爾（Christian Friedrich Hebbel，一八一三—一八六三），深受「少年德意志」的影響，可貴在純粹用自己的原創力觀察人生。

他認為戲曲描寫外在行動的時代過去了，劇場的真正功能是表現靈魂的內在運動。這種角度史無前例。他是浪漫派悲觀主義的夕陽中燃燒的個人主義火炬，影響到後來的易卜生和北歐其他作家。

奧托·路德維希（Otto Ludwig，一八一三—一八六五），比較差些，他寫實，做了黑貝爾、華格納的補充。

康德重理想，叔本華重真實。普法戰爭以後，叔本華在青年中還大有影響，要到尼采出來，叔本華才讓位。而尼采又從叔本華出來，再捨棄叔本華。

這裡必須鄭重聲明：哲學家、文學家、思想家、藝術家，要說誰超過誰，誰打倒誰，都是莫須有的，不可能的，不可以的。

我讀書的秘訣是：看書中的那個人，不要看他的主義，不要找對自己胃口的東西，要找味道。

在我看來，康德、叔本華、尼采、華格納不是四個人，而是一個人，都通的——或者說，這「一個人」有時悲觀，有時快樂，有時認真，有時茫然。試問，哪有一個人從小到老都悲傷，或從早到晚哈哈大笑的？我們說說家常話：尼采的意思其實是，生命是悲觀的，但總得活；要活，就要活得像樣！尼采有哈姆雷特的一面，也有唐吉軻德的一面，我偏愛他哈姆雷特的一面，常笑他唐吉軻德的一面。

現在讀尼采看來是太難了——很多人是在讀他唐吉軻德的一面。

我們所處的時代和尼采的時代相比，是他那個時代好。他的時代，天才大批降生在德國、歐洲。那時代是工業時代。我以為工業時代是男性的，商業時代是女性的——我們正處在陰柔的商業時代。二十世紀末期碰上這個時代，其實倒霉。

我的對策，是索性抽掉這個背景。

在我作品中看不到這個時代。曹雪芹聰明，抽掉他的時代。他本能懂得時空必須自由。大觀園在南京？北京？他不讓你弄清楚。莎士比亞對他的時代，毫不關心，他最傑出的幾部作品，都不寫他的當代。

再去看尼采的書：當時的德國連影子都找不到。他把事實提升為諸原則，他只對永恆發言。

藝術家可以取材於當代，也可以不取材於當代。到目前，沒有人正面提出藝術可以不表現時代——但我不主張藝術不去表現當代，這樣會做作。

格哈特・霍普特曼（Gerhart Hauptmann，一八六二—一九四六），比尼采小十八歲，詩人氣質，思想接近尼采，初期劇作是寫實主義的，有《日出之前》（*Vor Sonnenaufgang*），成名，又有《孤獨的人》（*Einsame Menschen*）、《織工》（*Die Weber*）、《獺皮》（*Der Biberpelz*），都力量充沛。後來慢慢寫到象徵主義去了，出代表作《沉鐘》（*Die versunkene Glocke*），在「五四」時期頗有影響，我曾把《沉鐘》的主角列為「超人」，寫入我的論文〈伊卡洛斯詮釋〉。主角海因里希是一位鑄鐘匠，年輕美貌，獨立鑄成巨大的銅鐘，設法運到高山頂上，中途受挫，巨鐘墜入海底，海因里希隨之殉身，變成海底陰魂，每撞其鐘，而世人不聞。

我年輕時很喜歡這個劇本，現在呢，真對不起，終不脫少年情懷，故作老成，文藝腔太重，看輕讀者。十九世紀象徵主義曾經盛極一時，今天無人問津了。當時呢，對高超的人來說太淺，對普通的人則太深，兩頭不著實。

霍普特曼，著作《沉鐘》，在「五四」時期頗有影響。

另有**赫爾曼・蘇德曼**（Hermann Sudermann，一八五七—一九二八），小說《憂愁夫人》（*Frau Sorge*），也是「五四」時期廣為傳閱的書，我沒看過，只知他是大戲劇家，攻擊當時的社會制度。

還有**阿圖爾・施尼茨勒**（Arthur Schnitzler，一八六二—一九三一），奧地利人，以描寫維也納社會生活著稱，優雅輕靈。《愛情之光》（*Liebelei*，英譯：*Light O' Love*）、《夢幻的故事》（*Traumnovelle*）、《寂寞的路》（*Der einsame Weg*）是他的名作。

里爾克（Rainer Maria Rilke，一八七五—一九二六），詩人，象徵主義健將，曾為羅丹的秘書，當年是一班少年表現主義抒情詩人的領袖。他在抗戰前後的中國曾紅極一時，臺灣詩人亦不乏追慕里爾克者。他的想像力、造型力甚強，不過我不喜歡他，思想、技巧，太表面。

中國是隔一陣子總要舉一人出來叫囂，其實誰也沒學會。西風東漸，確有其事，無論哲學、政治、經濟、文學、藝術，從民國初年開始，大大地刮過西風，但刮不出成果來。

原因很多，概括地說：西風一到中國，就變成東風——西方軍大衣、「派克」（Parka）大衣一進口中國，北方人就叫「皮猴兒」——在中國，儒家意識形態深深控制著中國人的靈魂。梁啟超、章太炎、胡適、魯迅，都曾反孔，最終還是籠罩在孔子陰影裡。中國的集體潛意識就是這樣的，奴性的理想主義。總要找一個依靠。真正的思想家完全獨立、超黨派，中國沒有。

西風東漸，要看這次歷史契機，西風到日本，還是西風，從不提日本民族、日本特色，悶著，裡面還是大和魂。日本人是經濟動物，中國人是政治動物。中國的政治、經濟，還有點希望，哲學、藝術，很難看到希望。或許可以藉將來政治經濟的進步來從事哲學藝術。

我一直關心中國的政治、經濟，從來不關心哲學、藝術、思想界的爭論。文藝界的吵鬧，我毫無興趣，而政治上、經濟上每有風吹草動，十分敏感。

做生活的導演，不成。次之，做演員。再次之，做觀眾。

德國的文學家，還有詩人德默爾（Richard Dehmel），寫得明媚、高潔；劇作家霍夫曼斯塔爾（Hugo von Hofmannsthal），神秘光彩；菲比希（Clara Viebig）以寫貧民和孩子們的生活著稱；胡赫（Ricarda Huch）是女詩人，技術精純，想像豐富；托馬斯・曼（Thomas Mann），小說嚴正熱情，散文恬淡優美；瓦塞爾曼（Jakob Wassermann）的小說，曾被比作狄更斯、杜思妥也夫斯基，有先知的權威性。

十九世紀德國的文學很興旺的，但一般說起，就是少數幾個文學家，施篤姆憑一本《茵夢湖》，霍普特曼憑一本《沉鐘》，盛傳百年，想想不很公平。

文學家個人的命運和文學史的大命運，往往不一致。要注意個人的作品，不要隨文學大流，大流總是庸俗的。小時候母親教導我：「人多的地方不要去。」那是指偶爾容許我帶僕人出門玩玩。現在想來，意味廣大深長。在世界上，在歷史中，人多的地方真是不去為妙。

普希金——俄國文學的太陽

現在講到十九世紀俄國文學了。

今天要講俄國了。俄國文學沒有像中國那樣有長遠的傳統。俄國文學實發於十九世紀，就一百年，天才紛紛降生，這是一大異象，誰也解釋不了。起初當然受歐羅巴影響，不到百年，俄國文學成熟了，反過來影響歐羅巴，整個世界忙不過來地讀俄國文學。

如科夫斯基（Vasily Zhukovsky，一七八三—一八五二），俄國文學開山老祖，大大的功臣。浪漫派詩人拜倫、席勒都是由他引進俄國。他仁慈、慷慨、熱誠、優雅，簡直是位聖人。一個民族有這樣一位人物，文藝不復興也會復興，何況天才一五一十一百地掉在俄羅斯的黑土上。

如科夫斯基，浪漫派詩人，俄國文學開山老祖。普希金的老師。

十二月黨人於一八二五年在聖彼得堡發動革命，失敗了，死了不少優秀青年。浪漫主義思潮卻更加洶湧，普希金就出現於這樣一個時代。

普希金（Alexander Pushkin，一七九九—一八三七）之前，俄文不純粹的——但丁之前，意大利文很尷尬；德文，是由馬丁·路德清理的。馬丁·路德曾說：我好不容易把馬廄裡的糞便清除了——當時俄文夾雜許多外來語，古體今體，條目混亂。普希金，第一個用純粹的俄文來寫美麗偉大的著作。

文字與語言關聯，又有非語言的因素，不能頒布法律來規定語言，靠語言學家也整理不好，只有天才特高的文學家，他為自己而使用文字，一經運用，文字生機勃勃。中國的白話文，用得最好的不是胡適他們，而是曹雪芹。

普希金被公認是俄國文學的太陽，相當於莫札特在音樂上的成就。他生來就是詩人，在皇村學校時就構想長詩、喜劇、長篇小說，沒有別的要做——這種才是天生的藝術家，不改行的，起點就是終點，終點也是他的起點。世界上什麼事情最可怕呢？一個天才下起苦功來，實在可怕極了。

普希金小時候大量閱讀父親的歐洲藏書，又讀俄國前輩傑爾查文（Gavrila Derzhavin）、巴丘什科夫（Konstantin Batyushkov）的作品。如科夫斯基是普希金的老師，讀了學生的詩，送普希金一張照片，上面寫道：「給我的學生，他的失敗的先生敬贈。」

照片我也有，還不知道題贈給哪一個學生。

一八一三至一八一五年，普希金寫的還是前輩巴丘什科夫的「輕詩歌」（Light Verse），即所謂「阿那克里翁體」（Anacreon，謳歌醇酒、美人），過了兩年，轉調了，寫單戀的痛苦、心靈的早衰、青春消逝的悲傷，這又是如科夫斯基的風調。

任何天才免不了模仿期（貝多芬的第一、第二號交響曲，就明顯地受莫札特、海頓的影響），而天才的特徵，又是不顧死活要找自己的風格。「風格」的定義，我最近想到的詮釋是：「敏於受影響，烈於展個性，是謂風格。」當年巴丘什科夫自以為循循善誘，規範普希金，普希金回答道：「不，我要艱難地走自己的路。」

就我少年的記憶，模仿別人風格時，不知怎的，神閒氣定，儼然居高臨下，其實根本不知道自己的風格在哪裡。姊夫、姊姊看了我的詩，兩人商討：「弟弟年紀這樣輕，寫得這樣素淨，不知好不好？」我心裡反駁：「年紀不輕了，素淨當然是好。」

但我知道他們的憂慮。大抵富家子弟，行文素淨是不祥之兆，要出家做和尚的。

普希金，別林斯基評價其為「藝術家的詩人」。

普希金少年就有心衝出狹隘的個人抒情的範圍。一八一四年寫出〈皇村回憶〉（Recollections in Tsarskoe），引起狂熱讚美。文學界前輩給與高度評價。有一幅畫，畫著他朗誦這首詩的高貴姿態。那些俄國老作家可不像中國老作家，一感到普希金出現，情不自禁叫起來：「這是一個巨人，將超越我們所有的人。」有的說：「看哪，這個壞蛋已經寫得多麼好啊。」

普希金自己呢，獨愛拜倫，他說：「我愛拜倫，愛得發狂。」在一首〈白晝的巨星已經黯淡〉的詩的副題，明明寫著：「仿拜倫。」

說來湊巧，我近來也懷念拜倫，寫了一首〈Harold II〉，大意是哈羅爾德又到了西班牙。還寫了一首〈致普式庚〉（普式庚，今譯普希金），第一句就套用普希金的口吻。這是一種新技法，在現代畫面的百忙之中，不期然地放進一點點古典，特別有靜氣，仿佛一個強盜吞下一粒定心丸。

一個人的藝術作品，留在世界上，實在是不死的。對於我，拜倫、普希金完全是活著的。

普希金非常關心政治，很參與，這我不認同。我要是活在「五四」或者抗日時期，不會去寫反帝反封建的詩。抗戰、救亡，會參加。寫詩，我不會弄「同胞們，殺鬼子」這種調子。筆和小提琴一樣，不能拿小提琴殺敵。你要搞政治？不如搞軍事，搞軍事，不如搞政變——一張小紙條，取你千軍萬馬。

詩人關心政治，寫政治詩，事過境遷，留不下來的。現代的文學家聰明冷靜了。索忍尼辛、昆德拉都是旁觀祖國的大風大浪，一個在美，一個在法，很安靜。這兩位還不是燈塔型人物，卻能像燈塔一樣，不動。

普希金如果生於現代，又是僑居外國，寫得更起勁，更好，我想他是不寫意識流的，明白、清新，這才是大路。我們會很談得來的，相互改改詩——要是他精通中文的話。

在普希金之前，俄國的詩人，詩人而已，普希金是第一位「藝術家的詩人」，這是別林斯基（Belinsky，一八一一－一八四八）的評價，很中肯。傑爾查文善於描寫景色，音調鏗鏘有力。巴丘什科夫造型優美，格調和諧。如科夫斯基有迷人的音樂性。這些特徵，普希金一下子就吸收了。據說看普希金的原稿，非凡地簡潔。

簡潔是大天才的特徵（在希臘，是典範）。有人向普希金請教：「很早你就同煩冗為敵，同廢話作戰。教給我，如何才能巧妙地與簡練為伍？」不知普希金怎樣回答。如果普希金授權我作答，我就寫道：「先生，來信太囉嗦，祝簡練。」

作文，第一就要簡練。簡練就是準確，就是達意。

果戈理也很懂普希金的好，他說：「普希金的每一句話之所以強有力，只由於這句話與別的話聯結在一起，才有整體的重量，如果離開了整體，這句話就軟弱無力。」

繪畫，通這個道理，書法亦復如此。

普希金對希臘詩下過極大的功夫（別林斯基稱希臘為「藝術工作坊」），流放時期寫的〈海仙〉、〈繆斯〉、〈少女〉、〈戴奧尼婭〉、〈夜〉，都是希臘藝術作坊的學藝品。普希金讀希臘詩，也只是讀譯文，但像別林斯基所說：「深厚的藝術本能，彌補了不能直接研究古代作品的缺陷。」

別林斯基這些話，也替不通外國文的同志們做了解嘲。當初我們憑印刷品、留聲機接觸西方繪畫、雕塑、建築、音樂，沒有被誤導，完全靠藝術的本能。將來一定要到希臘去，用手指觸摸神殿的柱子。

海涅、斯湯達爾對拿破崙大頌贊，而普希金與拿破崙的關係，真是難為他了。文學家的愛恨，是自由的，純個人性的，而史家的愛恨是有標準的，非個人的，所以藝術家一談歷史，臉色凝重。司馬遷寫《史記》，很為難，雄辯、巧辯，甚至詭辯，為他所喜歡的人物講幾句話；他喜歡項羽，按理「成者為王，敗者為寇」，只有帝皇傳才能列為「本紀」，可是司馬遷卻寫作〈項羽本紀〉，全文處處突出項羽的性格才能，最後雖然狠狠批評了一句，整體看，明明是小罵大幫忙。

我完全認同司馬先生的用心良苦。〈滑稽列傳〉、〈遊俠列傳〉，都是司馬遷興趣所鍾，別開生面，其他史家是不寫的。司馬遷在《史記》中做盡了小動作，因為實在寫得好，其他史家奈何不得。

史筆、文筆，是不一樣的。文學與史學的大問題，至今無人提出來研究。

論到性格才華的惺惺相惜，普希金喜歡拿破崙，而國情民心使普希金不能言出由衷，他寫於一八二一年的〈拿破崙〉原是列為「頌詩」的，但按照當時的社會輿論，拿破崙是「兇惡的侵略者」、「殘暴的專制君王」。三年過去後（普希金大概想了三年），他改變了說法，稱拿破崙是「叛逆的自由的繼承者和元兇」。小貶大褒，無疑承認拿破崙的英雄性。

事情早已過去，我著眼於詩人的用心。凡使詩人為難的事，不論大小，我最感興趣。他們為難的事，輪到我，也為難，好在許多使古人為難的事，我不為難了，古人的夢，由今人來醒。紀德說得好：「最快樂的夢，不及醒寤的一刻。」

〈致大海〉（To the Sea）一詩，是普希金向浪漫主義告別，拿破崙、拜倫，都消失了。寫《葉普蓋尼．奧涅金》（*Eugene Onegin*）時，普希金的制高點是超逸的了。他關心時事，但一到藝術，就十分純粹。這一點，致命地重要。杜思妥也夫斯基讀了太多太多的歷史和哲學，小說中一點不肯流露，所謂「冰山是只露八分之一在水面上」。但是，現實的歸現實，藝術的歸藝術。藝術不能跟現實走，藝術也不可能領著現實走。所以普希金全面關注現實，而作品如此之純。

第50講

十九世紀俄國文學再談

萊蒙托夫　果戈理　屠格涅夫　杜思妥也夫斯基　托爾斯泰

1991.11.3

據説屠格涅夫的修辭、文法、結構極為精美，杜思妥也夫斯基和托爾斯泰也比不上。他和福樓拜是好友，兩人都是文字的大魔術師。

杜思妥也夫斯基的小説一傳到歐洲，大家驚呆了。相比之下，歐洲作家就顯得是無情無義的花花公子。説來奇怪，中國人不理解杜氏，俄國人半理解不理解，蘇聯時期他被排入黑名單，高爾基出頭批判他。

托爾斯泰當時的國際地位非常高，一不高興，直接寫信給皇帝，劈頭就説：「你懺悔吧！」朝廷要辦他，憲兵將軍説「他的聲望太大，俄羅斯監獄容不了他」。

萊蒙托夫：我不是拜倫，我是另外一個

萊蒙托夫（Mikhail Lermontov，一八一四—一八四一），普希金之後最有才華的詩人。在短命詩人中，尤為短命。

我喜愛和理解萊蒙托夫，是在喜愛和理解普希金之前，聽音樂，也是先愛貝多芬，後愛莫札特。這是少年人愛藝術的過程。十七歲到杭州，我不喜歡西湖，胸中充滿著崇高偉大的理想，最好是看到高山大海、懸崖峭壁，所以要聽貝多芬，要讀萊蒙托夫。

我想過，如果少年青年時喜歡莫札特、普希金呢？那是要環境優裕，生活平靜。我的童年少年很苦悶，沒有心情接受普希金那種典雅的美，倒是暴烈、粗獷的美容易起共鳴。但要說真正理解，十六、七歲的人不足認知貝多芬，也談不上懂得萊蒙托夫。

萊蒙托夫出奇地早熟，文學風格、人生境界，都早熟。前面講普希金狂熱推崇拜倫，而萊蒙托夫寫道：

不，我不是拜倫，我是另外一個。

這才是真正的異端，把他放在異端之中，他還是個異端。你學拜倫？學尼采？你已經不是一個異端。

普希金死後，萊蒙托夫的長詩〈詩人之死〉（Death of the Poet），轟動整個俄國。被沙皇政府放逐高加索，他在那裡寫了很多豪放的詩，我曾為之配曲。《當代英雄》（*A Hero of Our Time*）的主角名皮恰林（Pechorin）就是萊蒙托夫自己，或者說，是作者心靈的投影。皮恰林比葉普蓋尼·奧涅金更使我感到親切，奧涅金是世俗的，皮恰林是藝術的。普希金花了一點力氣塑造了奧涅金，皮恰林卻是萊蒙托夫的心靈肖像，用了極高超的反諷筆法。

萊蒙托夫，普希金之後最有才華的詩人。死於決鬥，年二十七歲。

很多讀者，尤其是女讀者都罵皮恰林為壞人，是個不義之徒，不知皮恰林是高貴的、真情的，他的苦悶是虎落平陽被犬欺的苦悶。萊蒙托夫命意在此，書名是個反諷。皮恰林是最優秀的青年，但被埋沒了，成為受嘲笑的失敗者。

也有很多評論家（包括所謂思想家）把藝術家、文學家的憂鬱痛苦歸罪於時代、政治，以為這一解釋很公正、很深刻，其實淺薄。

萊蒙托夫首先是對世界、對人類（人性）絕望了，對他當代的一切又持鄙視否定態度。拜倫亦如此。

藝術家、詩人的悲哀痛苦，分上下兩個層次，一個是思想的心靈的層次，對宇宙、世界、人類、人性的絕望，另一個是現實的感覺的層次，是對社會、人際、遭遇的絕望。

高爾基、魯迅、羅曼·羅蘭，有下面的一個層次，而對上面那個層次（即對宇宙、世界、人類狀況、人性本質），未必深思，一旦聽到看到共產主義可以解決社會、生活、人際關係、個人命運，就欣欣然以為有救了。

所謂一流的大師，上下兩個層次同時在懷。莎士比亞只在懷於上面這個層次（也許就是這一層，魯迅不在乎莎士比亞），尼采也只就上層次而發言（音樂家呢，先天限制他只有上一層次）。回到萊蒙托夫，他不是哲學家，但本能地懷有上層次的痛苦，又憎惡他所處的那個時代。

他對生命極為厭倦、厭煩、厭惡，二十多歲就認為自己是從人生舞會中退出的孤獨者，在冷風中等待死神的馬車。這種自覺，這種哲理性的感慨，吸引我追蹤他。

他寫皮恰林在驛站上等馬車，四周無人，頹喪疲倦，一忽兒馬車來了，人來了，皮恰林腰桿筆挺，健步上車，一派軍官風度（說到這裡，木心作狀模仿那種姿影）。我們在世界上，無非是要保持這麼一點態度。

萊蒙托夫的抒情詩好，小說也好。他的敘事詩《姆齊里》（*Mtsyri*，英譯：*The Novice*），中國有譯本，題為《童僧》，寫一個收養在修道院中的男孩，神父管教甚嚴，他每夜夢見家鄉親人。某夜狂風暴雨，男孩逃出修道院，在森林中漫走了三個日夜。當神父們找到他時，他因為和豹子搏鬥，跌入深坑。孩子抓住一把草根不使自己陷落，一隻白鼠一隻黑鼠不停咬著草根，眼看要斷了，草尖上有一滴花蜜，姆齊里叫道：「讓我嘗一滴蜜，我便死去！」

書中的修道院，就是世界，白鼠黑鼠，就是白晝與黑夜，死去之前想要嘗一滴蜜！（我們這些流亡者豈不都像姆齊里。）萊蒙托夫也死於決鬥。他的大眼睛淚汪汪的，真是悲劇的眼睛，天才詩人的眼睛。

受普希金影響的詩人很多，平平不足道，只有克雷洛夫（Ivan Krylov，一七六九—一八四四）有其價值和地位，寓言最有名，詩輕靈美妙，音節鏗鏘，當時十分流行。

果戈理、岡察洛夫

俄國寫實主義文學開始得比任何一國都早，普希金時代過去，果戈理時代到來，從此俄國寫實主義文學大規模開始。普希金、萊蒙托夫的作品，也可說是寫實主義的先聲。

果戈理（Nikolai Gogol，一八〇九—一八五二），十九歲到聖彼得堡，想做演員，不成功，去部裡當辦事員，不久離職，專事寫作。一八二九年，兩部描寫俄羅斯鄉村的小說集出版，立刻獲得如科夫斯基和普希金的讚賞。早期作品《狂人日記》（*Diary of a Madman*），開後來心理分析小說的先路，魯迅受到影響。另有《外套》（*The Overcoat*）、《欽差大臣》（*The Government Inspector*），更是名篇，諷

果戈理，十九歲想做演員，不成功。後專事寫作，《狂人日記》開後來心理分析小說的先路，魯迅受到影響。

刺挖苦是其主調。屠格涅夫說：「我們啊，都是從《外套》裡出來的。」

同期，有《聰明誤》（*Woe from Wit*，又譯《智慧的痛苦》）一劇極成功，作者是格里鮑耶陀夫（Aleksander Griboyedov，一七九五—一八二九）。

接著就是岡察洛夫（Ivan Goncharov，一八一二—一八九一），他的文學生涯四十五年，但作品很少，除了幾部札記和遊記，小說只三部：《平凡的故事》（*A Common Story*）、《懸崖》（*The Precipice*），都好，尤其是《奧勃洛莫夫》（*Oblomov*），轟傳一時，寫出一個典型：人不壞，甚而很好，可是一味地懶，有思想，沒行動，連女人、愛情也刺激不了他，只想躺在沙發上。這種人物在中國的富貴之家多得是，我不覺得新奇。但在俄國當時，知識階層人手一本，都覺得血管裡有些「奧勃洛莫夫」。

論家認為這是岡察洛夫的功績，我不以為然。小說不是藥。俄國後來的大不

岡察洛夫，小說《奧勃洛莫夫》轟傳一時。

幸，不是克服「奧勃洛莫夫」可以解決。中國人向來要求文學有益於名教，都落空。文學所能起的道德作用，僅就文學家自身而言，一般讀者的好或壞，不是文學教出來的——藝術有什麼好呢？對藝術家本人有好處：寫著寫著，藝術家本人好起來。

屠格涅夫——藝術的文學家

岡察洛夫之後，俄國文學的黃金時代光臨了：

屠格涅夫，六十五歲。

杜思妥也夫斯基，六十歲。

托爾斯泰，八十二歲。

托爾斯泰十歲時，杜思妥也夫斯基十七歲，而屠格涅夫二十歲，這三位天才，是一代人。

伊萬·謝爾蓋耶維奇·屠格涅夫（Ivan Sergeyevich Turgenev，一八一八—一八八三），父親是沒落貴族，母親性情乖僻，有大莊園。童年屠格涅夫對農奴制度的殘暴乖謬，憤懣不平，他回憶：「在我生長的環境中，打人、擰人、拳頭、耳光……簡直是家常便飯，我對農奴制充滿了憎恨。」立誓「我這一生，絕不與農奴制妥協」。他由家庭教師授業，後全家遷居莫斯科，進莫斯科大學語文系，翌年轉彼得堡大學文史系。一八三八年赴柏林大學主攻哲學和古典語文學，後又回彼得堡，得哲學碩士學位。

屠格涅夫大學時期的習作多為浪漫抒情詩，長詩《帕拉莎》發表後，獲別林斯基好評，兩人從此友誼深厚。一八四七年別林斯基在歐洲養病時，相偕遍遊歐洲。人說別林斯基影響了屠格涅夫，我認為屠格涅夫也影響了別林斯基。

屠格涅夫與母親關係很壞，不得接濟，靠稿費生活，寫了十來個劇本（寫受苦的小人物）。母亡，得遺產，大富裕。

一八五二年果戈理逝世，他撰悼文，彼得堡當局不許發表，改寄《莫斯科新聞》，遂以「違反審查條例罪」被捕，不過聽說只是關在家裡，期間寫出傑作〈木木〉（Mumu）。

屠格涅夫，與母親關係很壞，不得接濟，靠稿費生活，寫了十來個劇本。母亡，得遺產，大富裕。

沙皇對屠格涅夫反農奴制觀點無法容忍（俄國的皇家與地主密切配合，國民黨與地主卻不「團結」，只知榨取捐稅租糧）。《獵人筆記》（*A Sportsman's Sketches*）是屠格涅夫的力作，共二十五篇短篇，第一篇發表，批評家就喝彩，接著篇篇精彩。描寫俄國中部農村景色、生活、人倫，對含垢忍辱、備受欺凌的農民寄予深切的同情。

中國文學不也寫農村嗎？以階級鬥爭的觀點寫，極其概念化。屠格涅夫用的是人性的觀點、人道的立場，至今還有高度的可讀性，我很喜歡《獵人筆記》，以後還想再看一遍。

五十年代到七十年代是他的創作全盛期。

《羅亭》（*Rudin*），第一部長篇，在座應該看一遍：凡好思想、善詞令、脫離實際、缺乏毅力者，都叫做「羅亭」。我也曾被藝專的學生叫做「羅亭」，我心中暗笑，他們讀不懂《羅亭》，不理解我，又辯不過我，拿這頂羅宋帽壓過來，不過中國的知識分子和藝術學生，當年著實讀了一點俄國書。

接著是《貴族之家》（*A Nest of the Gentry*）、《前夜》（*On the Eve*）、《父與子》（*Fathers and Sons*）、《煙》（*Smoke*），最後是《處女地》（*Virgin Soil*）——

這些中譯本當時銷路非常之好。大學文科院、藝術院校的宿舍裡，滿眼是這些小說的中譯本——據說讀屠格涅夫原文，修辭、文法、結構，極為精美，杜思妥也夫斯基和托爾斯泰也比不上。即使在歐洲，如此工於文字技巧，也只少數幾個。他和福樓拜是好友，兩人都是文字的大魔術師。

他在西歐度過大半生，幾乎每年回國（真讓人羡慕）。最後一次是一八八〇年參加莫斯科普希金銅像揭幕典禮，發表講詞。下一位講演者是杜思妥也夫斯基，講完後，屠格涅夫上前擁抱他，說：你才是真正的天才！

一八八三年在巴黎逝世（脊椎癌）。遵遺囑，遺體運回彼得堡（俄羅斯人愛文學，送葬者上萬人），葬在別林斯基墓旁。這才是真正的朋友，以後到俄羅斯找到別林斯基墓，旁邊就是屠格涅夫了。

屠格涅夫密切反映了他的時代，而他的自我背景，上下兩個層次都有。他的悲哀是形而上的，證見他的散文詩〈大自然〉。他夢見了「大自然」的化身，她在沉思，他便發問道：「偉大的母親，你一定在為人類的幸福思考吧？」大自然母親道：「我想怎樣在跳蚤的後腿加一條筋，讓牠逃走時可以更快些。」

他有一篇極好的演講〈哈姆雷特與唐吉軻德〉。他自己是哈姆雷特型，因此大力誇獎唐吉軻德型（像哈姆雷特那樣深思，像唐吉軻德那樣勇敢）。因為是偉大的創作家，他的文藝批評就特別中肯。

屠格涅夫是藝術家，是藝術的文學家。

杜思妥也夫斯基——又一個俄國天才

費奧多爾．米哈伊洛維奇．杜思妥也夫斯基（Fyodor Mikhailovich Dostoyevsky，一八二一—一八八一），生於醫生家庭，從小愛文學。遵父意學工程，畢業後專事寫作。與涅克拉索夫、別林斯基過往甚密，為「彼得拉舍夫斯基小組」（Petrashevsky Circle，十九世紀四十年代進步知識分子反封建農奴制的團體）的成員。

小說《窮人》（*Poor Folk*），繼承普希金、果戈理傳統，但他自己的風格全在其中。當時他初到彼得堡，無名，《窮人》一發表，詩人涅克拉索夫拉了別林斯基半夜敲門，對杜氏說：「俄國又誕生了一個天才！」

我第一次讀完《窮人》，也叫起來。要從近代的幾位文學大人物中挑選值得探索的人物，必是杜思妥也夫斯基。而當時真正理解他的人（指文學家）很少；別林斯基受不了他對人性剖析的無情，後來的高爾基以為杜氏是惡的天才。中國則由魯迅為代表，認為杜氏是殘忍的。

要去評價一個偉大的人物，你自己是怎樣一個人物？這是致命的問題。

尼采、紀德，一看之下，就對杜氏拜倒。尼采說，杜氏是「在心理學上唯一可以教我的人」。愈到近代，杜氏的研究者、崇拜者愈多，而杜氏的世界，仍然大有研究的餘地和處女地。自從「意識流」寫法和其他種種寫法出現，我都不以為然，不過是將人剖開，細看，說「這是心，這是肺」。深刻嗎？新奇嗎？愛情的深刻，必得解剖腎臟、生殖器，才算真正懂得愛情嗎？上帝把心肺包起來，是故意的！

潛意識、無意識、性壓抑、變態心理，什麼什麼情結，比起杜思妥也夫斯基，哪裡比得過！意識流那點手法，三分才氣七分用。杜思妥也夫斯基的大手

杜思妥也夫斯基，尼采說，杜氏是「在心理學上唯一可以教我的人」。

筆，一味自然，那樣奇怪曲折，出人意外，但都是自然的。這才是高超、深刻。

一八四九年，杜氏被捕，判死刑。在刑場即將槍決的一瞬間，沙皇特赦，改判四年苦役、六年軍役。罪名呢，一，朗讀別林斯基致果戈理的信，內容是反農奴制度的；二，籌備秘密印刷所；三，參與「彼得拉舍夫斯基小組」。當時俄國左翼的論調，認為杜氏在這之前思想進步，苦役流放後，成了唯心主義，敵視革命，攻擊車爾尼雪夫斯基（Chernyshevsky，一八二八——一八八九），中了沙皇的毒計，成了反動的說教者。

事情哪有這樣簡單。政治才是簡單的，藝術家複雜得多哩！政治家非黑即白，藝術家即非黑又非白，我有句：

「藝術家另有上帝。」（或作「藝術另有摩西。」）這話送給杜氏，正合適。托爾斯泰是不會接受的，他認為藝術家只有上帝。

不要在杜氏的書中追究思想信仰、道德規範。文學的最高意義和最低意義，都是人想瞭解自己。這僅僅是人的癖好，不是什麼崇高的事，是人的自覺、自識、自評。

講開去，求知欲、好奇心、審美力，是人類最可寶貴的特質——「知」，宇宙是不可知的；「奇」，人以為奇，動物不以為奇；「美」，更是荒唐，梅蘭竹菊，猴子毫無反應。

說回來，人類要自救，只有瞭解自己、認識他人，求知、好奇、審美，是必要的態度。藝術、人類，是意味著的關係，即本來藝術與人類沒有關係，但人類如果要好，則與藝術可以有關係——這就是我所謂「意味著的關係」。

個別人，極少數人，他要自尊、自救，他愛了藝術，藝術便超升了他，給他快樂幸福。絕大多數人不想和藝術有什麼關係——在中國尤其不相關——如此看杜思妥也夫斯基，反動也罷，革命也罷，我不在乎。

我特別在乎喜歡的是他文筆粗糙（要還債呀，飛快地寫，一脫稿就進廠印刷。他哪有屠格涅夫、托爾斯泰的優閒？）但真的藝術確實另有上帝。杜氏的粗糙是極高層次的美，真是望「粗」莫及，望「粗」興歎。如漢家陵闕的石獸，如果打磨得光滑細潔，就一點也不好看了。尊重這粗糙，可以避免自己文筆光滑的庸俗。

我曾說：「貧窮是一種浪漫。」這一點杜氏最拿手。被侮辱被損害的人心中，有神性之光，其實是杜氏心靈的投射。托爾斯泰最愛上帝，他的上帝是俄國農民的上帝，公共的上帝，杜氏的上帝是他自己的上帝，近乎藝術的上帝了。在世界可知的歷史中，最打動我的兩顆心，一是耶穌，二是杜氏。

尼采感動我的是他的頭腦和脾氣。

杜氏的小說一傳到歐洲，大家驚呆了。相比之下，歐洲作家就顯得是無情無義的花花公子。說來奇怪，中國人不理解杜氏，俄國人半理解不理解，蘇聯時期他被排入黑名單，高爾基出頭批判他。所以歐洲之偉大，之可愛，在於懂得杜氏。俄羅斯出了杜氏，歐洲人為之驚歎，是十九世紀的美談。

杜氏的讀者在歐洲，情況有點像佛教，釋迦牟尼後來在印度吃不開的，到了中國，佛教興盛了。接受歐洲洗禮的中國人，會愛杜思妥也夫斯基。歐洲一般的評論，認為杜氏「最能表現神秘的斯拉夫民族的靈魂」，這是狹義的。杜氏是世界性的，尼采、紀德不會把杜氏僅僅看做俄國式天才。

他的小說，本本都好：《窮人》、《雙重人格》（*The Double*）、《女房東》（*The Landlady*）、《白夜》（*White Nights*）、《脆弱的心》（*A Weak Heart*）、《被侮辱與被損害者》（*Humiliated and Insulted*）、《死屋手記》（*The House of the Dead*）、《罪與罰》（*Crime and Punishment*）、《白癡》（*The Idiot*）、《少

年》（*The Adolescent*）、《群魔》（*Demons*）、《卡拉馬助夫兄弟》（*The Brothers Karamazov*）。

文學家以他心靈的豐富描寫人物，杜氏的小說，就是他心靈豐富。什麼體驗生活，與勞動人民同吃同住同勞動，結果寫出書來，假、大、空。紀德說：「藝術家是把內心的某一因素發展起來，藉許多間接經驗，從旁控制，使之豐富。」杜氏寫《罪與罰》中的拉斯柯爾尼科夫（Raskolnikov），福樓拜寫包法利夫人，托爾斯泰寫安娜，都是這樣。

所以福樓拜說：「不要吵了！包法利夫人就是我。」

克魯泡特金（Peter Kropotkin，一八四二—一九二一）認同杜氏的寫法也是如此，但結論道：「既然拉斯柯爾尼科夫就是杜氏，那麼，像這樣的人，是不會去謀殺一個老婦人的。」

看起來不失為觀點，實則愚蠢。歌德說：「世上一切的罪惡我都會去做的。」是的，藝術家都可能去做的，結果沒有去做，做什麼呢？做藝術。

少年維特死了，歌德活下來。

百年來，杜氏在歐洲的名譽持續上升。他的「理解場」在歐洲，其中，紀德最是竭盡心力，多次長篇講演，出專集。他自己的《背德者》（*L'Immoraliste*）就是杜氏的影響。我讀《背德者》，隱隱看到杜氏在背後指指點點，我樂極了：這就是文學的聖家族啊！

中國的文藝評論常常有這種論調，說「作者的矛盾的世界觀限制了他的藝術才能」。請問，你們世界觀正確，出了什麼作品？談世界觀，你們不配。

最後，引紀德的話說：「讀杜思妥也夫斯基，是一件終生大事。」

托爾斯泰——劈頭就說沙皇「懺悔吧」

列夫．尼古拉耶維奇．托爾斯泰（Leo Nikolayevich Tolstoy），生於一八二八年九月九日，父母親都是古老而有名望的大貴族。十歲前父母雙亡，而家道富厚。在《童年》、《少年》、《青年》這幾本好書中做了詳細的描寫。這幾本書寫得真好！寫他自己難看、害羞、正直、善良，寫到哪裡好到哪裡。憑這幾本書看，就是個大文學家。

一八四四年進喀山大學東方語系，一年後轉法律系。受法國啟蒙運動思想

托爾斯泰，去五年成《戰爭與和平》，史詩型的巨著，一出版，屠格涅夫就將法文版寄福樓拜，福樓拜大賞，馬上回信，說：「這是天才之作，雖然有些章節還可以商酌，不過已經是太好了。」

的影響，反沙皇專制。一八四七年退學回家，在自己的領地上嘗試改革（假如我當時已經成年，很可能也會做這種傻事），結果農民不信他，也不接受（農民怕上小當，革命來了，上大當很起勁）。一八五一年赴高加索當下級軍官，在一八五四—一八五五年的克里米亞戰爭立功。《塞瓦斯托波爾故事集》（*Sevastapol Sketches*）就是那段經歷，也為他累積了《戰爭與和平》（*War and Peace*）的戰爭場面素材。

一八五七年、一八六〇至一八六一年，兩度遊歷歐洲，然而不喜，完全否定歐洲文明，對金錢地位的崇拜引他憤怒，這一怒，終生不平息，回國後又在自己的莊園辦學校，做調解人，當陪審員，維護農民的利益（奇怪的是，他一生只愛農民，只見農民，不見人類），臨死前還在想：農民是怎樣死的？不過從電影上看，俄國農村、農民，確實可愛。

一八六二年和索菲亞結婚，婚後大量寫作。他的寫作，一上來就風格獨特，手法精純。他寫書，處處是藝術，可是他寫《藝術論》（*What is Art*），不知所云。

我少年時看書，求好又求全，五十年後，才能做到求好，不甚求全——但求全之心，不能沒有，否則要降格，怎麼辦呢，有辦法的，就是托爾斯泰那裡求不到的，別家去求，一家家求過去，在杜思妥也夫斯基那裡求不到，屠格涅夫那裡求。再有欠缺怎麼辦呢？還有一家，就是你自己——紀德有言：「做到人群中不可更替的一員。」

一八六四至一八六九年，去五年成《戰爭與和平》，史詩型的巨著，一出版，屠格涅夫就將法文版寄福樓拜，福樓拜大賞，馬上回信，說：「這是天才之作，雖然有些章節還可以商酌，不過已經是太好了。」屠格涅夫大喜，覆信說：「好了，好了，只要福樓拜先生說好，一切都好了。」

藝術家就該見好就叫！十九世紀有福了，天才間如此相互愛惜，真令人感懷，又一次證明「道德來自智慧」。

《戰爭與和平》的情節、場面，寫得非常好，人物，我以為不夠好。他寫這種大構，粗中有細，從容不迫，順手寫來，極像文藝復興的巨匠畫壁畫，大開大合，什麼也難不倒他。其實全書七易其稿，都是夫人手抄，裝起來整整一馬車。

接下來一八七三至一八七七年，寫成《安娜．卡列尼娜》（*Anna Karenina*），人物就寫得出色精當，故事和場景極其動人。列文（Levin）那些長篇思考和教義探討是嫌累贅，但全書前前後後什麼都是藝術，只好買帳。

安娜身上滲透了托爾斯泰的魂靈。他把自心種種不可能實現的幽秘情愫，放在安娜身上。這件事，只好與托爾斯泰一對一面談（或者和杜思妥也夫斯基對談），他會承認。旁人在，他就不承認了，還會關照：不足為外人道！

他的正面流露是列文，大談社會改革的理想、宗教信仰的探索。因為尊重托爾斯泰，我認真看這些段落，不反感，不輕視。讀書要有品德，不要跳過列文。

寫完《安娜》，為便於孩子上學，托爾斯泰舉家遷往莫斯科。調查貧民，探訪監獄，更加緊哲學、宗教、道德、倫理的研究。可憐這位老先生學不進去，他一碰到哲學、倫理，就蠢了。最初讀尼采，欣喜若狂，稍後，大罵尼采，整個兒否定了超人哲學。他的頭腦裡早就自有一套，別的思想塞不進去。不要緊，托爾斯泰再蠢也偉大。高爾基曾為了托爾斯泰的固執而受苦，心裡叫道：「你這老魔術家別作弄我這初出茅廬的小夥子。」還說，托爾斯泰與上帝的關係很曖昧，好比一個山洞裡的兩隻熊，總要咬死一隻。高爾基《回憶托爾斯泰》，寫得極好，希望在座一讀。

之後寫〈黑暗之光〉（The Power of Darkness）、〈伊凡．伊里奇之死〉（The Death of Ivan Ilyich）、〈哈吉．穆拉特〉（Hadji Murad）、〈舞會之後〉（After the Ball）等中短篇，篇篇都好，〈謝爾蓋神父〉（Father Sergius）尤其好。最後的傑作是《復活》（*Resurrection*）。

我十幾歲時看，浮光掠影，三十幾歲讀，基本上懂了。最近又讀一遍，實在寫得好。筆力很重，轉彎抹角的大結構，非常講究，有點像魏碑。十足的小說，不准許拍電影、演舞臺劇。福樓拜、哈代、狄更斯都會欽佩這本書。試以別的小說來比，都會顯得輕佻、小聰明、小趣味。

《復活》特別重，老了讀，最好。我還想靜靜看一遍。

托爾斯泰當時的國際地位非常高，一不高興，直接寫信給皇帝，劈頭就說：「你懺悔吧！」朝廷要辦他，憲兵將軍說「他的聲望太大，俄羅斯監獄容不了他」，到底不敢動，但利用最高教會機關宣布托爾斯泰為「邪教徒、叛教者」，開除教籍，這時他快近八十歲了。

一九一〇年十月二十八日，他決定擺脫貴族生活，離家出走，中途受涼，得肺炎，死於阿斯塔波沃（Astapovo）車站，遺體不准葬於教會墓地，依照他的遺囑，葬在故鄉莊園，沒有十字架，沒有墓碑——偉大！

下面是我最近寫的詩：

樹林的遠處
出現了騎馬的憲兵
列夫・托爾斯泰的棺木
徐徐放下墓穴
幾萬人跪地，唱
永垂不朽
有誰用很不協調的高音
喊道：警察跪下
憲兵們紛紛落馬一齊跪倒
開始撒土，唱
永垂不朽

第51講

十九世紀俄國文學續談

涅克拉索夫　契訶夫　高爾基　象徵主意　勃洛克

1991.11.17

契訶夫的短篇，寫得太通俗。一定要説他的成就，現在冷靜比較，比下去了。魯迅説契訶夫的小説是「含淚的微笑」，中學水準。我以為，文學不需要含淚，也不需要微笑。

藝術是不哭，也不笑的。

縱觀俄國從十八世紀到二十世紀這一百二十年，在古典浪漫時期，因普希金、萊蒙托夫，而有了優勢；到寫實時代，出杜氏第一、托氏第二、屠氏第三，占盡優勢；象徵和唯美主義，他們不及歐洲，沒有尺寸大的人物。

寫實主義詩人、戲劇家

俄國真所謂文學大國。從托爾斯泰、杜思妥也夫斯基、屠格涅夫，所謂寫實主義傳統，到目前為止，還在不斷作育俄國青年作家，他們還在發揚這個傳統。這個傳統不會消失的，是會永恆的。但寫實主義這說法不準確，姑且用之。

三大家同時，還有一位詩人，即涅克拉索夫（Nikolay Nekrasov，一八二一—一八七八）。中國有譯本，流行過《嚴寒，通紅的鼻子》（*Grandfather Frost-the Red Nose*）、《誰在俄羅斯能過好日子》（*Who is Happy in Russia?*）。風格特異，專寫俄國農民的痛苦，同情農民，反農奴制。有說他是個復仇的憂傷的詩人。早年生活貧困，「有三年，我沒有一天不挨餓。」他說。

戲劇家奧斯特洛夫斯基（Alexander Ostrovsky，一八二三—一八八六），生於莫斯科，年輕時是個戲迷，口不離戲。曾任商事法庭（Commercial Court）書記，後以之為題材寫喜劇，得罪商人，控告到沙皇尼古拉一世。名著有《家庭幸福》（*The Picture of Family Happiness*）、《破產》（*The Bankrupt*）、《他人之車不可坐》（*Stay in Your Own Sled*）。最有名是《貧非罪》（*Poverty is No Vice*）、《大雷雨》（*The Storm*）。

一九四九年後，大陸出過不少他的書，上演過他的戲，地位相當於托、杜、屠三位。

戲劇特點：故事不新奇，但情節環環扣緊，極適舞臺。不寫好人壞人俗套。他認為生活中好人壞人是混雜的，後來斯坦尼斯拉夫斯基（Stanislavski，一八六三—一九三八）也是這個傳統。這是俄國文學的特質。

涅克拉索夫，專寫俄國農民的痛苦，反農奴制度。他說：「有三年，我沒有一天不挨餓。」

為人生、為藝術之爭

當時批評文學的項目，爭論極盛，各走極端。爭什麼呢？為人生而藝術，還是為藝術而藝術。

俄國文學以「為人生而藝術」為主調。前有別林斯基，後有車爾尼雪夫斯基，力主為人生而藝術。

中國三十年代文壇大受影響，左翼在背後善加利用，一直到一九四九年後成為意識形態控制。當時所謂人民性、民族性，即來自俄國。四十年代，這些「斯基」的著作已大量翻譯，現在可以知道是左翼的計畫、謀略，一九四九年後即大量上市。

現在的民主概念，和十九世紀別林斯基們的民主概念是不一樣的。東歐現在敲響的鐘聲，不是以前的鐘聲。

回到「為人生、為藝術」，這個問題極可笑。中國的所謂反「為藝術而藝術」，主「為人生而藝術」，是既沒有「為藝術」，也沒有「為人生」——是政治掛帥，為一個人，為獨裁。

「為人生」、「為藝術」，兩派都關進集中營，相見了，才歎道：「我們都太忠厚了。」

從人格論，別林斯基們是高尚的人，勤於思考，勇於行動，但他們太重視實際效應，到後來的普列漢諾夫（Plekhanov，一八五六—一九一八）就滑頭了，不好對付了。

別林斯基、高爾基們，後來都反對杜思妥也夫斯基。

杜思妥也夫斯基無疑是比他們大得多多、高得多多，他才真是為人生而藝術，反而別林斯基和高爾基們對人生知道得太不夠了，沒有弄清人生是什麼。

契訶夫、高爾基及其他作家

三位大師之後，俄國文學並不衰落。契訶夫、高爾基、柯羅連科（Vladimir Korolenko，一八五三—一九二一）、安德烈耶夫。

安東·契訶夫（Anton Chekhov，一八六〇—一九〇四）。祖父是農奴，後贖身自由。父親開小食品雜貨鋪，契訶夫兄弟幼年站櫃檯。後來父親破產，舉家遷莫斯科。契訶夫進莫斯科醫科大學，一生行醫、寫作。早期寫作為點稿費，多寫幽默作品，近乎滑稽。

契訶夫作為一個人，非常有意思。謙和、文靜、克制、優雅，通達人情。高爾基回憶契訶夫，寫得好！

半夜了，天很冷，契訶夫打電話：「請你來一下。」「什麼事？」「我戀愛了。」高爾基去，哪裡是戀愛，只是與他談談、走走，然後說：「你可以回去了。」

他常教高爾基寫作。怎樣寫作呢？契訶夫說：「下雨了。」就這樣寫。

契訶夫始終方寸不亂。

高爾基與契訶夫的通信極好：

今天收到你寄給我的錶，我真想上街攔住那些人，說：「你們這些鬼，知道嗎？契訶夫送給我一隻錶！」

多可愛！

契訶夫不是一個思想家。他知道俄國是不幸的，常在憂傷中，他對未來，一片茫然。如果問他，他大概說：「總會好起來吧。」那潛臺詞是：「否則怎麼辦呢。」

他和同代人比，有教養。當時俄羅斯有兩種類型，要嘛是狂熱的、戰鬥的、革命的，要嘛是悲觀頹廢的，悲觀到要殺人、自殺。相較之下，有那麼一個契訶夫，特別寶貴。

他說，短篇，莫泊桑已是王。不過，大狗叫，小狗也要叫——這點自知之明，也多麼寶貴。

說到短篇，二十世紀遠高於十九世紀。

契訶夫的短篇，寫得太通俗。一定要說他的成就，現在冷靜比較，比下去了。魯迅說契訶夫的小說是「含淚的微笑」，中學水準。我以為，文學不需要含淚，也不需要微笑。

藝術是不哭，也不笑的。

馬克西姆·高爾基（Maxim Gorky，一八六八—一九三六），他在當時是個傳奇人物，是個青年偶像，是個文學明星。

現在你們不以為然了。我年輕時，把高爾基看做高山大海，特別羨慕他的流浪生活。我生在一個牢一樣的家庭，流浪？那簡直羨慕得發昏。文學家歷來是書齋裡出來的，哪有靠什麼流浪，走遍俄羅斯，走成一個文學家！

直到我十二年勞改後，才不怕高爾基。所以話說回來，高爾基確實有教於我。

少年人應有強烈的羨慕，咬牙切齒的妒忌——這樣才能使軟性的抱負，變成硬性的。高爾基的三部曲：《童年》（*My Childhood*）、《在人間》（*In the World*）、《我的大學》（*My Universities*），至今應該是青少年的教科書。

他早年困苦，成名也很快。首篇發表在柯羅連科任編輯的雜誌上，後來出書，立即賣完。

他的天才、性格，適逢其時。一九〇五年前後，俄國青年正在等候著這麼一位天才。

他最好的是，以文壇新秀與托爾斯泰、契訶夫交往。他的優勢是寫先輩沒有經歷、也沒有寫過的東西。真要說到功力、思想、修養，他就不夠了。他一寫長篇就不行。

寫長篇，要靠強大的人格力量，極深厚的功底。哈代、杜思妥也夫斯基、曹雪芹，在哲學、史學、文學上的修養，深刻啦！

寫長篇小說，不可輕舉妄動。

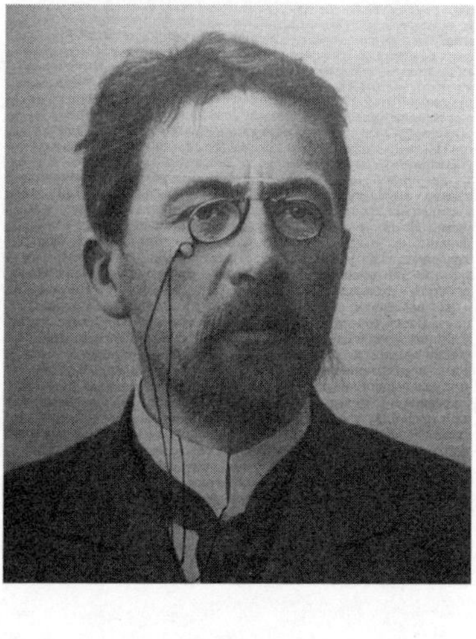

契訶夫（下），常教高爾基（上）寫作，一生行醫寫作。高爾基在當時是個傳奇人物，是個文學明星，大革命後，苦苦求情於列寧，放了許多文學家和知識分子。

說到頭來，高爾基是一個不可替代的作家。他善於理解人，善於愛人。最好的作品，是對文學長輩與同代人的回憶，讀了，也能理解他，愛他。

在生活中、現實中的道德行為，要做出自己的犧牲的。而文學藝術不是一種犧牲性的道德力量，這種力量愈強，愈能感人。俄國文學，真有偉大的道德力量。

比起來，德國人的耳朵和頭腦特別靈，法國人的眼睛嘴唇特別靈（善美善愛）——俄國、俄國人，有一顆心，為了這心，我對俄國文學情有獨鍾。

大革命後，高爾基苦苦求情於列寧，放了許多文學家和知識分子。史達林時代，他保住晚節，沒有留下歌功頌德的文字，沒有違背良心。

結論：契訶夫、高爾基，都是好人。在我心目中總歸有他們的位置。

老朋友介紹過了。介紹新朋友還得從我讀書時講起。

一九四七年前後，當時中國社會氣氛，頗似一九〇五年的俄國革命失敗後那一段。那時我喜歡讀的已不是高爾基，是安德烈耶夫。

列昂尼德·安德烈耶夫（Leonid Andreyev，一八七一——一九一九），少年貧困，後一躍成名。首作出，高爾基大為讚揚。當時革命失敗，青年人不再欣賞高爾基的慷慨激昂，喜歡安德烈耶夫的灰調子。作品：《往星》（*To the Stars*）、《黑面具》（*Black Masks*），寫死，寫戰爭殘酷，寫人生無意義，寫命運（年輕人偏偏喜歡談論死，談論生命無意義）。

後來他也逃亡。

索洛古勃（Fyodor Sologub，一八六三—一九二七），也是悲觀者，比安德烈耶夫還要激烈，詛咒死，也詛咒生，抒情詩淒美。

阿爾齊巴舍夫（Mikhail Artsybashev，一八七八—一九二七），強烈的個人主義，無政府主義。

薩溫科夫（Boris Savinkov，一八七九—一九二五），一個個人主義、悲觀主義的作家。代表作《灰色馬》（*The Pale Horse*）。他還是一個暗殺者，入獄後越牆而死。

我做學生時，床頭書架，竟都是這些人的書（一九四九年後都禁為反動作家）。

他們雖非大部頭作家，但他們都用了自己的誠懇、天性，去思考、表現、懷疑、悲觀，甚至暗殺。俄國，一遇到事情就認真（秋瑾、徐錫麟帶有這種色彩）。無政府主義產地是英法，在俄國大行其道。

象徵主義及作家

當時興起一種呼聲，綜合了為人生、為藝術的兩種思潮，這時響起了尼采的聲音：「一切重新估價。」

在俄國，持這種完善的觀點的發言人是梅列日科夫斯基（Dmitry Merezhkovsky，一八六五—一九四一），大師型的文學家，寫小說、詩、批評，思想上崇尚尼采。他的個人主義以文學藝術為指歸。他的論文集名《論托爾斯泰和杜思妥也夫斯基》。

我讀過他的《諸神復活》（*The Romance of Leonardo Da Vinci*），寫的是意大利文

藝復興。長期留在意大利，查資料，包括達文西的私帳。是歷史小說，以達文西為主線，書很驚人。當時在上海諸院校中頗為流傳。

另一位女作家，是梅列日科夫斯基的妻子，季娜依達・吉皮烏斯（Zinaida Gippius，一八六九—一九五四）。稱：

> 我是我的奇異的詩句的奴隸。

這是象徵主義了。

梅列日科夫斯基，寫《諸神復活》，長期留在意大利，查資料，包括達文西的私帳。

俄國的象徵主義興起時，聲勢很猛，但已接近革命，災難將降臨這些個人主義者。他們反對現實主義的典型論，反對自然主義的生物解剖性表達，反對浪漫主義直白的抒情，他們主張以象徵主義表達作品的思想。

源頭是叔本華哲學。都有唯美主義、個人主義色彩。這是當時的世界性潮流。韓波、葉慈，都是。俄國略晚一步，但是都趕上了。

這些作家的個人風格性很強。巴爾蒙特（Konstantin Balmont）注意辭藻的優雅華美；勃留索夫（Valery Bryusov）講究形式結構的完整，有古典風；梅列日科夫斯基的詩，意涵高雅深遠；伊凡諾夫（Vyacheslav Ivanovich Ivanov）追隨梅列日科夫斯基，文筆也極好，人稱「帶有嬰兒口吻的蒼老的風格」。

十九世紀末俄國文學多麼興旺——以上這些作家，都被中國砍掉了。好景不長。十月革命後，人們的思想劇烈震動，很快，象徵主義煙消雲散。梅列日科夫斯基夫婦由高爾基求情，放出俄國。餘人向政權投降。

象徵主義是脫出民族傳統意識的一種自由個人主義。對你們幾乎沒有影響。「十月革命一聲炮響」，沒有給中國帶來象徵主義。作為世界性流派，象徵主義成就很大，至今有影響（中國近代藝術，缺了象徵主義這一環節）。

象徵主義詩人勃洛克（Alexander Blok，一八八〇—一九二一），有詩《十二個》（*The Twelve*）。出身彼得堡貴族家庭，受自由、科學、文學、藝術的家教。其妻是化學家門捷列夫之女。

寫神秘虛幻的另一個世界。一九〇五年後，他面向現實，回到俄羅斯和人民，離開象徵主義。十月革命後，接受高爾基指教，投效革命，三十天成詩《十二個》，寫得熱情洋溢，是革命狂想曲。最後寫到耶穌，把十二門徒換成十二個紅軍戰士，結果被高爾基和馬雅可夫斯基批評。

藝術上的技巧，有它宿命的歸屬性。安格爾畫毛澤東？康丁斯基設計列寧紀念碑？行不通。叫梵谷畫史達林？馬蒂斯畫宋美齡？

當你已獲得個人性技巧時，就要明白你的歸屬性。這樣就可以事半功倍。

縱觀俄國從如科夫斯基到勃洛克，從十八世紀到二十世紀這一百二十年：古典浪漫的時代（當然是普希金），現實和寫實的時代，象徵和唯美的時代——和世界各國是同步的。但慢了一步，這是劣勢。但在古典浪漫時期，因普希金、萊蒙托夫，而有了優勢；到寫實時代，出杜氏第一、托氏第二、屠氏第三，占盡優勢，至今想來心跳不已、崇敬不已，至今見到俄國人，給他幾分面子；象徵和唯美主義，他們不及歐洲，沒有尺寸大的人物。

中國，和世界不同步。中國不會浪漫、唯美，給唐宋人浪漫、唯美去了。寫實倒是有過了，但魯迅、茅盾、巴金，才不如杜氏、托氏高。魯迅的詩和哲學的底子不夠，寫不成長篇。

前面得有古典浪漫，而後現實寫實，才會有唯美象徵。

但中國也有人追求過唯美、象徵，何其芳、李廣田、卞之琳、馮至、聞一多、艾青；張聞天翻譯過王爾德，楚圖南翻譯尼采。

中國近代文學：琳琅滿目，一片荒涼。把俄國和中國比較，中國在世界之外。

最近消息傳來，俄國文學拼命想復興，翻老帳，出老書，麵包沒有，書多得很（文學家，原來一定要哲學和詩的基礎）。一九四九年後，假借中蘇友誼，我們比臺灣、甚至歐洲更接近俄國文學。這倒是優勢。現在補上俄國象徵、唯美一代的作品，那就是人生一樂，就是俄國文學的老資格的欣賞者。

下次講俄國二十世紀文學，那就要講到馬雅可夫斯基的未來主義和超現實主義。

第52講

十九世紀波蘭文學、丹麥文學

密茨凱維奇　斯沃瓦茨基　顯克維奇　安徒生　勃蘭兑斯

1991.12.1

《你往何處去》，這種浩浩蕩蕩的歷史小說，和《三國演義》一樣，我歸入通俗文學。凡通俗文學，我把它當人生看，不當它藝術看，看得心平氣和。

丹麥文學到十九世紀中葉，忽然暗下去了。這麼暗了一下——安徒生出來了！
評論家說：「詩神分散給丹麥眾多詩人，後來收回來，送給一個童話作家。」

一個飽經風霜、老謀深算的人，也愛安徒生。
現在小孩子看太空超人、妖魔鬼怪，不要安徒生了。
不是安徒生的悲哀，是人類的悲哀。我看到玩電腦的小孩，心想：你們很不幸。

波蘭文學開山祖及文學家

講起波蘭，我們對波蘭都特別好感，蕭邦的琴聲，尼采的祖國。一個靈秀的國家，又從來多災多難。東接蘇聯，南鄰捷克斯洛伐克，西接德國，北面是立陶宛，西北面臨波羅的海，歷來兵家之地，大家看重這塊地方。

面積三十一萬平方公里，平坦，初為王國，首都華沙。十八世紀，俄羅斯、普魯士、奧地利三國滅波蘭，此即蕭邦亡國之痛。常聽到「奧匈帝國」（Austria-Hungary）——匈牙利文稱「奧斯馬加」（Osztrák-Magyar）——乃是一八六七年，奧地利與匈牙利聯合組成的。奧帝兼匈帝，共用軍隊，幣制、度量統一，各自行政，歷五十一年，直到第一次世界大戰解開。十月革命後，波蘭趁機獨立，成共和國，後又被蘇聯控制，成盟國之一，直到目前才又獨立。又窮又亂，想靠宗教復興（波蘭女子據說最好，剛強、溫柔）。

波蘭古代沒有文學可言。所謂波蘭文學，指十九世紀。此前只有：萊依（Miko aj Rej，一五〇五—一五六九）、卡拉西基（Ignacy Krasicki，一七三五—

一八〇一）。算老作家，不講不好意思。

十九世紀正是奧匈帝國統治時期，混亂黑暗，波蘭全被瓜分，文學卻是黃金時期。這又扯到文學與時代的關係。春秋、戰國、魏晉時期，文藝復興……這些時期，偏偏文學、文藝最昌盛。

亂世，有天才降生，文藝就燦爛光華。這是我的論點，反歷史唯物論。亂世激起人的深思、慷慨、激情。

亂世一定出文藝嗎？也不。天才，可以的；亂世，不一定。

波蘭文學的始祖，密茨凱維奇（Adam Mickiewicz，一七九八－一八五五），一部《塔杜施先生》（*Pan Tadeusz*），有如普希金之於俄國。當時整個世界是浪漫主義，概不例外，波蘭是略晚一步。

密茨凱維奇是浪漫主義領袖。出生時是波蘭被瓜分的第三年。他說他在襁褓中已戴上鐐銬。思想上受伏爾泰影響。

早期詩，不夠有意思。「歡迎啊！自由的曙光！」我也能體會，寫的人覺得這很重要——這種詩沒人寫，也不好。你老兄要寫，那也好。多少詩人都有這個層面。

然而，文學家、詩人，應該別有用心。文學家的制高點，遠遠高於政治家——這一點，中外古今從來弄不清，也沒有人索性去講一講——相反，其他文學家好像逃避現實，耽於享樂。文人愛國、救國，那樣也好。密茨凱維奇的詩，後來成了波蘭起義的戰歌。

愛國文人以良心為武器，衝啊殺，魯迅也以戰士自命。

我有機會遇到密茨凱維奇，也不會勸他，只會讓他當心安全，讓他還是寫他的。他後來入獄，流放到俄國彼得堡，最後流放到莫斯科，和普希金在一起。

這種流放，我們也得試試。

這時候，他的詩寫得好起來了。愛情十四行。（魯迅寫起《朝花夕拾》來，這就好了，是藝術家，一份熱發兩份光。）

後來密茨凱維奇見解廣闊了，和普希金一起到底有好處的（海涅、杜甫、辛棄疾，還是聰明，最後都寫自己的東西）。

密茨凱維奇有長詩《康拉德·華倫洛德》（*Konrad Wallenrod*）。華沙當局為這

密茨凱維奇，波蘭文學的始祖，有如普希金之於俄國。

詩向俄國警告，要抓他，他又逃，寫了《塔杜施先生》，波蘭貴族的生活，家世、反抗、戰鬥。魯迅說，這部書使他永垂不朽。後來不寫詩了，編刊物，當教授，參加戰鬥。後染時疫，死於君士坦丁堡。

與其說是詩人，不如說是英雄。這些詩，現在沒人讀。

斯沃瓦茨基（Juliusz Słowacki，一八〇九—一八四九），在國際上名聲大於密茨凱維奇（在中國，只知道密氏）。講究文字功夫，音節完美，想像豐富。他的觀點，把文學看做藝術教育，有「詩人中的詩人」美稱。作風近莎士比亞，善寫悲劇。史詩《貝尼奧夫斯基》（*Beniowski*），未完成，討論種種宗教問題。對波蘭的衰敗表白出悲哀的深思，又轉為熱情，成許多詩。他有藝術家態度，寫幻想、寫恐怖，能直面人生。

斯沃瓦茨基，有「詩人中的詩人」美稱。作風近莎士比亞，善寫悲劇。

克拉辛斯基（Zygmunt Krasiński，一八一二—一八五九），喜歡思考，對人類歷史大事都要追究。二十一歲有《非神的喜劇》（《神的喜劇》，即但丁大作，中國譯成《神曲》）。他思考理想的完美和現實的卑鄙，推論民主與專制必衝突，預言了階級鬥爭。他的想法是靠信仰，靠宗教，以此安慰波蘭人。

從前的所謂「哲理詩」（philosophical poem），其實都是神的讚美、感恩，所以古代的哲理詩，我們現在是不能承認的。

西方一切歸於神，中國一切歸於自然，我以為兩邊都落空。其實遇到哲理詩，可以先咳嗽一聲，然後再去看。今後，有哲理詩來了，它一定不標榜自己的信仰、哲理，像個小孩不知道自己的天真。

三位詩人，一位是英雄，一位是愛美的藝術家，一位是愛神的信徒——加起來就是波蘭的浪漫主義。浪漫主義都有愛國、愛美、愛神這麼三種特徵。

還有其他作家，不必一一介紹了。

顯克維奇（Henryk Sienkiewicz，一八四六—一九一六）。主要得講他。生於地主家庭，在田莊長大。後全家遷往華沙。大學時代即發表短篇小說，歌頌資產階級務實上進的精神。對資本主義抱樂觀態度。後去英法美遊歷，看到工業發展，也看到壓迫，發表《旅美書簡》（*Letters From a Journey*），罵美國，回來後成一系列短篇。

到十九世紀八十年代，波蘭資本主義分化，貧富懸殊。當時沙皇和普魯士王國在波蘭禁波蘭語，他苦苦探索，認為愛國熱情和宗教信仰能救國，成三部小說：《火與劍》（*With Fire and Sword*）、《洪流》（*The Deluge*）、《伏沃迪約夫斯基騎士》（*Fire in the Steppe*），世稱「三部曲」，呼喚波蘭人民團結一致抵抗外國。

後寫中篇小說，也很長，什麼《波瓦涅茨基一家》（*The Polaniecki Family*）、《毫無準則》（*Without Dogma*）。到一八九〇年，發表《你往何處去》（*Quo Vadis*），寫古羅馬尼祿時代，寫基督徒早期受迫害，運用歷史材料，非常見功力。

福樓拜的《薩朗波》，梅列日科夫斯基的《諸神復活》，還有《你往何處去》，都是寫歷史的力作。寫古人很難，可是很有快感，好像另做了一世人。《你往何處去》值得一看。獲一九〇五年諾貝爾獎。手法寫實，英雄美人智者暴君，大起大落。

真的寫大主題，還是不能寫古代，不能太隔。要寫當代，至少上一代，杜思妥也夫斯基寫古代？完了。曹雪芹寫唐宋？完了。藝術家的宿命，不能寫太遠的

顯克維奇，著有《你往何處去》。一九〇五年諾貝爾獎得主。

過去、太遠的將來。要有「真實性」。藝術家要安於這種宿命。

寫當代，寫出過去，意味著將來，就可永恆。

顯克維奇的筆力很強，功力深。這種浩浩蕩蕩的歷史小說，和《三國演義》一樣，我歸入通俗文學。凡通俗文學，我把它當人生看，不當它藝術看，看得心平氣和。

生活中遇到一個人，滿有意思，又沒有多大意思——通俗文學。這樣就平心氣和。

這就是為人之道，藝術之道。

一個藝術家，從愛國出發，又回到愛國，還是比較一般的通俗的愛國——蕭邦的愛國，層次高了。他怎麼愛法？我代他表達：

「我愛波蘭，我更愛音樂。」

他到了波蘭邊境，最後還是回巴黎，用鋼琴對祖國說話。我們將來回國，是去看「藝術」，不必大喊大叫。

丹麥文學：安徒生、勃蘭兌斯

十九世紀斯堪地納維亞，屬於北歐，有丹麥、瑞典、冰島、芬蘭等國，處歐洲西北，介於大西洋與波羅的海中間，有基阿連山脈縱橫中央，東瑞典，西挪威。

丹麥十九世紀也是浪漫主義風氣一時，領袖是歐倫施萊厄（Adam Oehlenschläger，一七七九—一八五〇），受歌德、席勒影響。作風傾向懷古、悲劇，有「斯堪地納維亞詩王」之稱。

巴格森（Jens Baggesen，一七六四—一八二六），詩人。

伯特克（Ludvig Adolph Bødtcher，一七九三—一八七四），詩人。

英格曼（Bernhard Severin Ingemann，一七八九—一八六二），詩人。

還有很多，可見十九世紀他們的文學興旺。到十九世紀中葉，忽然暗下去了。這麼暗了一下——安徒生出來了！

評論家說：「詩神分散給丹麥眾多詩人，後來收回來，送給一個童話作家。」

安徒生（Hans Christian Andersen，一八〇五—一八七五）。最早他介紹到中國來時，誤為「英國安徒生」。早期他想演戲，學芭蕾，剪紙剪得非常好，他也寫過小說——後來忽然想到寫童話。

有深意。一個人到底適宜做什麼？要靠他自己去選擇。選擇對了，大有作為，選擇錯了，完了。

三十而立，指的是選擇對了。選擇錯了，是「三十而倒立」。

訪師問友，是選擇的開始。大選擇中有小選擇。畫畫，大選擇，但畢卡索選安格爾的路，錯了。貝多芬選擇哲學？完了。他的哲理思想不放在音樂上？完了。

天才，會選擇。有過程，是鬥爭過程。舒曼，父母不讓學琴，他刻書桌為琴面，父母允。提香（Titian），四十歲前不畫畫。齊白石，六十歲後才找到路。梵谷要是考上中央美院，會去學徐悲鴻。

如果安徒生演戲、跳舞，我們現在都不知道他是誰。剪紙，生意也不會好。

安徒生，早期他想演戲，學芭蕾，剪紙剪得非常好，他也寫過小說——後來忽然想到寫童話。

忽然他寫童話（梵樂希，最善數學）。

安徒生童話的全盛時期，已經過去。要嘛再來，要嘛不再來了。影響長達七、八十年！

兩個來源：其一，古老傳說，他改編；其二，全憑想像。

他最高的本領，是用小孩子的眼睛看世界：

老婦人的頭被砍掉了，身體躺在那裡。

不得了！這是他的寫法。小孩子也看到這個——看到了，小孩卻寫不出來。

海涅很佩服他，寫詩獻給他，一起划船，做朋友。

豆莢裡的豆，整整齊齊排著……他們覺得世界都是綠的。

好啊！

這種東西——小男孩、小女孩、錫兵——寫到詩裡去，不自然的，寫到童話裡，好極了，有了詩意。

小孩只交同齡的朋友，安徒生的童話，老少咸宜。幾個月前我又讀了一遍，還是覺得好。

你只要看看別人寫的童話，格林、喬治·桑、歌德、王爾德，都寫過童話——不如安徒生。他的童話是真的。

安徒生的秘訣？很難學到的。

有評曰：小孩是善惡不分的，野蠻的，胡來的，安徒生有這個東西。他用心腸寫作，有金光，有美彩。一個飽經風霜、老謀深算的人，也愛安徒生——這個人全了。

現在小孩子看太空超人、妖魔鬼怪，不要安徒生了。不是安徒生的悲哀，是人類的悲哀。我看到玩電腦的小孩，心想：你們很不幸。

「歷史地」看問題，安徒生愈來愈可貴。會讀他，是享受。他還寫過詩、遊記、自傳，都歷歷動人。

安徒生追悼會開到這裡，下面要講一個丹麥的好人。

格奧爾格・勃蘭兌斯（Georg Brandes，一八四二—一九二七）。十九世紀六十年代，歐洲新思潮風起雲湧，把這種精神活力介紹給北歐的，是勃蘭兌斯。他是大學者，在大學開講「十九世紀文學之主潮」，起到喚醒群倫的作用，影響巨大，情況踴躍。大學校長把他開除，他跑到柏林。幾年後，他播下的思想種子，在丹麥開花了，他成為丹麥最有權威的思想家、批評家。閱書太多了，像圖書館，可貴在對每個人都有中肯的批評。

《十九世紀文學之主潮》（*Main Currents in Nineteenth Century Literature*），共六大本，對莎士比亞、尼采、易卜生、拜倫、海涅，都寫過專論，還寫過《俄國印象記》、《法蘭西印象記》、《人與作品》。

大人物。經歷彌漫，觀察精密，力量沉重。中國沒有這樣的人。魯迅是戰士，蔡元培是教育工作者。魯迅的《中國小說史略》，評得很中肯。

當時丹麥大學生根本不知尼采，勃蘭兌斯專門開講尼采，立刻大放光彩。

注意一下：大陸的韓侍桁翻譯過《十九世紀文學之主潮》，中山文化教育館出。

近代文學批評家，勃蘭兌斯可以排名第一。別人沒有他博大精深。但要是有天才，不要做大批評家。總是不高超的。

藝術是點，不是面，是塔尖，不是馬路。大藝術家，大天才，只談塔尖，不談馬路的。

批評家是能人、好人，勃蘭兌斯是大能人、大好人。受到勃蘭兌斯感召的作家，非常多——德拉克曼（Holger Drachmann）、雅各布森（J. P. Jacobsen）。

他真的是一代宗師——中國既沒有一代，也沒有宗師。

但是丹麥的作家、批評家，還有很多。

一個天才的誕生，必然是戰爭。如果有人反對你，你應該說：「情況正常。」

勃蘭兌斯，近代文學批評家第一人。丹麥最有權威的思想家、批評家。

第53講

十九世紀挪威文學、瑞典文學

易卜生　比昂松　漢姆生　史特林堡

1992.1.5

易卜生的表現方法不執著於極端。梅特林克執著於象徵，左拉一本自然主義，易卜生則是平允的，批判的，有想像，經過理性，達到自覺。這個態度，非常大器。

我反對「主義」。一個藝術家標榜一個主義，不論什麼主義，態度非常小家氣。

人稱史特林堡是「暴風雪之王」。

在史特林堡之前，沒有獨幕劇。他之後，獨幕劇才正式確立為一藝術種類，如莫泊桑以後，短篇小說始成為短篇小說。

去年講到最後的大章回是斯堪地納維亞，其實就是北歐。北歐在當時南歐影響之下，文學藝術很興旺。和南歐一起想，對歐洲文學的概念就完整了。

今天講易卜生、史特林堡。

有個常識：挪威，十九世紀以前沒有獨立文學，是和丹麥聯在一起的，渾然不分，直到十九世紀才有自己的文學運動、地位和傑作。

每種文化都有它的生老病死。十九世紀前的挪威文學還沒有開花結果。挪威十九世紀文學可有三個時期：

前驅者時期、易卜生時期、新運動時期。

挪威文學：前驅者時期

第一時期以三作家為代表。

第一個是韋格朗（Henrik Wergeland，一八〇八—一八四五），詩人、革命家、愛國志士。作品特點：力量宏大、熱情、熱烈，人稱「北方的盧梭」，三十七歲死，留下作品很多。

第二個是科萊特（Camilla Collett，一八一三—一八九五），是韋格朗的妹妹，提倡寫實主義小說，是女權主義急先鋒，哥哥三十七歲死，她卻活到八十七歲。當時寫實、女權都才剛剛開始。

第三個是魏爾哈文（Johan Sebastian Welhaven，一八〇七—一八七三），文學批評家、傳記作家，也是抒情詩人。他是個世界主義者。

這三位前驅者都有成就，但都未達到世界性成就和聲譽。以後總會去北歐，看到這些名字，心裡涼涼的：「我知道。」這才是旅遊的樂趣。

前驅者的路是醞釀，是等待天才。

挪威文學：易卜生時期

天才來了：易卜生（Henrik Ibsen，一八二八—一九〇六）。易卜生的出現，帶來挪威文學的黃金時代。他是一個半世紀以來最偉大的戲劇家。

文學史、美術史，不過是天才的傳記。

童年不幸。藥店學徒，沒進過學校。一切寫作能力，全自學。《喀提林》（*Catiline*）是用無韻詩體寫的悲劇。喀提林是羅馬的叛逆者，易卜生把他寫成革命英雄。

當時有人名波爾（Ole Bull），創辦劇場，識易卜生，聘為顧問，報酬優，每年要他提供一個劇本（莎士比亞也有類似經歷）。

藥店學徒——劇院顧問——戲劇家。

他大部分生涯不在挪威。三十六歲離國，遷居意大利，此後遍遊歐洲，大部分時間在德國。他很老了才回到國內，度過晚年。

天才號碼大了，要走出去。許多不肯離開老地方的作家，或到了國外寫不出的作家，和易卜生比，我可名為「易不生」——不生蛋了。

他的一生以詩歌開始的。寫革命的詩歌，又以象徵性的戲劇結束。劇本四個時期：一，浪漫主義的（六部）；二，轉變到寫實，但有浪漫有寫實；三，寫實的（六部）；四，象徵的（六部）。

他的表現方法不執著於極端。梅特林克執著於象徵，左拉一本自然主義，易卜生則是平允的，批判的，有想像，經過理性，達到自覺。這個態度，非常大器。

我反對「主義」。一個藝術家標榜一個主義，不論什麼主義，態度非常小家氣。

顧炎武說過一句話：「一為文人，便無足觀。」好像連他的笑容也能看到，如見其人，聞其聲。

我擴大一下：「文學、哲學，一入主義，便無足觀。」東坡聞米芾〈寶月觀賦〉，曰：「恨二十年相從，知元章不盡。」（〈與米元章九首〉之四。）

這種信收到了，多開心！

易卜生早期的韻文，取材古代傳說。當時挪威懷舊。不久時代變了，易卜生

易卜生，一個半世紀以來最偉大的戲劇家。一切寫作能力，全自學，沒進過學校。

寫成《皮爾．金特》（*Peer Gynt*）、《青年同盟》（*The League of Youth*）、《皇帝與高里留》（*Emperor and Galilean*）、《勃朗德》（*Brand*）。易卜生自己認為《皇帝與高里留》最好。流傳最廣的是《皮爾．金特》，寫挪威人的弱點：有才，自己不知怎麼用（這是許多國的人都有的毛病），到處流浪，後來得到愛，被愛拯救。

我的定義：皮爾．金特是平民的浮士德。

不久，他放棄浪漫的詩的寫法，去寫現實生活，他之所以得世界聲譽，靠這期間六部寫實劇。

《社會棟樑》（*Pillars of Society*）寫一德高望重的社會名流，後來大家發現他是個無恥之徒。《玩偶家庭》（*A Doll's House*），寫娜拉，戀愛結婚，丈夫有經濟困難，娜拉假冒簽名，救了丈夫。丈夫知道後，看不起她，平時當她玩偶，娜拉漸知，出走。

好在對話，好在真實。主題更好，影響了歐洲和全世界。走後如何？各不相同。許多人還是回去了。你們時代不同，我年輕時，常常聽說有人妻出走——中國只有一個真的娜拉：秋瑾。革命，赴死；她是完成了的娜拉。其他娜拉都未完成，中國許多娜拉走過一條路：去延安。

文學，這樣地寫，這樣地影響，後來是這樣的結果——也滿有意思。現在上演，不會有太多觀眾了，但這個劇本還是好。

靠文學藝術來解決社會問題，開始就打錯算盤。我從來不想靠筆濟世救人。魯迅，論文學改造國民性，完全失敗。

可是魯迅的文學，無疑是「五四」以來第一人。

易卜生又有《幽靈》（*Ghosts*）。寫父親生活放蕩，兒子卻是個有為青年，正在有為時，父傳的梅毒發作，死了。

這些戲一上演，凡偽善的丈夫、墮落的父親、無恥的名流，都恨他、罵他。易卜生不但不退，又寫出一本《全民公敵》（*An Enemy of the People*）。我非常喜歡這個劇本，在紐約看過演出，實在好。

主角斯多克芒（Stockmann）說：「世界上最孤立的人是最強大的！」

接下來寫《野鴨》（*The Wild Duck*），是理想主義者的不幸。又成《海妲・蓋柏樂》（*Hedda Gabler*），寫一個女人的感情、命運、遭遇。不提問題，忠實描寫。

很多批評認為易卜生熱中社會問題的提出和解答，我以為他本質上還是一個詩人。

到了晚年，他又去寫純粹詩意的想像的劇本。《海洋女兒》（*The Lady from the Sea*）、《營造師父》（*The Master Builder*）、《羅斯莫莊園》（*Rosmersholm*）、《小艾歐夫》（*Little Eyolf*）、《約翰·蓋博瑞·卜克曼》（*John Gabriel Borkman*），還有《復甦》（*When We Dead Awaken*）。注重心靈，神秘，象徵的作風。

現代把他看成過時過氣的，其實他是不朽的。他的社會劇不公式、不概念，是不過時的。

什麼是現實呢？就是不公式、不概念化。所謂「體驗生活」，這種方式本身就是概念的。

我不反對寫實主義，我反對偽寫實主義。徐悲鴻是偽古典偽寫實。他的弟子既不懂古典，也不懂寫實。

易卜生寫對話極精練，一句不多。他之前，挪威戲劇對話用丹麥話，到了易卜生，用挪威語。受他影響，瑞典出現史特林堡，丹麥出現勃蘭兌斯，德國霍夫曼斯塔爾，意大利賈科薩（Giuseppe Giacosa），英國是蕭伯納。

他有自己的舞臺世界和獨到之處。他擔當了一個人性的可能，而且是大的可能，而且發揮到極致。

挪威還有**比昂松**（Bjørnstjerne Bjørnson，一八三二—一九一〇）。他和易卜生同時代。易卜生離開劇場時，比昂松接下去。他與易卜生不同，牽涉很廣，多方面，由浪漫、寫實，進入象徵（同時有唯美派、高蹈派）。

易卜生專心寫劇本，也寫詩，比昂松寫戲劇、寫小說、詩、政論，作品繁多，比起來，不如易卜生精審。

有才者，貪博，其實不如精。博而不精，很可笑的，這也可以用在愛情上。

比昂松最著名劇本《新結婚的一對》（*The Newly Married Couple*），寫一個女子從少女到妻子的性格心情。小說多寫北方挪威農民的生活。他的演說很多，以作家兼社會家，是名人，在各界出面，屬人格影響大於作品影響的一類（中國的蔡元培，法國的盧梭，美國的愛默生，均屬這類人）。

他個性火辣辣的，為祖國熱情奔走，晚年被人稱為「老熊」。他是第一個得到諾貝爾獎的挪威人，可見諾貝爾獎向來喜歡風雲人物。

比昂松，最著名劇本《新結婚的一對》。諾貝爾獎得主。

比昂松是屬於挪威的，易卜生是屬於世界的。

喬那士・李（Jonas Lie，一八三三—一九〇八），名聲僅次於比昂松、易卜生。童年生活在最北部的海岸，作品多寫故鄉。當律師，三十五歲才開始寫作（大家，還不遲）。他在寫實主義流行的時期，獨寫他的浪漫，但不寫史詩，寫挪威家庭的平靜生活。人在巴黎，寫故國。

挪威文學：新運動時期

新運動時期。經前兩個時期，挪威文學不但獨立，而且蓬勃發展。作家很多，大抵二流，對於挪威重要，對我們太隔。

最傑出者，漢姆生（Knut Hamsun，一八五九—一九五二），譯家認為他是易卜生、比昂松的後繼者。個性很強，到處流浪，少年時到過美國，充滿冒險經歷。中國沒有他的譯本，據說是冷酷的描寫，注重心靈，又有同情心，頗似俄羅斯。

「同情心」在中國人心中分量很重，其實就是人道主義，是仁慈、慈悲，分量很重的。世界上最重要的就是同情心。人要靠人愛，此外沒有希望。人到教堂，或養貓狗，不過想從神，或從狗，得到一點愛的感覺。但真正的同情，應該來自人，給與人。俄國文學的同情心，特別大。

挪威作家中最近俄羅斯者，漢姆生。我特別看重他這點同情心。半自傳小說《饑餓》（*Hunger*），寫饑餓發狂的心理。又寫《維多利亞》（*Victoria*），超現實的，是現代牧歌。漢姆生曾得諾貝爾獎。

漢姆生，譯家認為他是易卜生、比昂松的後繼者。個性很強，到處流浪，少年時到過美國，充滿冒險經歷。

瑞典文學：史特林堡、海登斯塔姆

瑞典當時小說多，劇本多，詩人多，但散文不及丹麥。到十九世紀末，受法國現實主義影響，又受到易卜生和勃蘭兌斯影響，瑞典起來了，出奧古斯特・史特林堡。

史特林堡（August Strindberg，一八四九—一九一二），是個精力充沛、性情乖僻的人。易卜生初見他的照片，說：這個人將來比我更偉大（現在看，我認為易卜生還是比史特林堡更偉大。他憑照片能出此判斷，已經偉大）。

史特林堡長相雄偉，像海盜王。易卜生同情婦女，史特林堡極力反對女權運動，把男人失敗歸罪於女人；有小說《紅色房間》（*The Red Room*）、短篇小說集《成婚》（*Getting Married*），都寫這意思。

心態不太平衡，作品或好或差，有時粗率，有時好得無與倫比，但天性一直保持著：忠實地觀察，大膽地表現。劇本《父親》（*The Father*）、《茱莉小姐》（*Miss Julie*），都寫男人因女人墮落。

家庭背景：雜貨店。敗落後，母親淪為傭人，他的出生被視為多餘者。十三歲，母亡，繼母苛待他。早熟，深思，此後從事過各種職業，及長，開始寫作。直到成為文學院人士，方始安定。

一八七九年，《紅色房間》出版，揭露瑞典社會各個層面，一舉成名。一八八三年旅居瑞士，又因《成婚》諷刺婦女運動，被控褻瀆罪，送回瑞典受審，所幸判決無罪。

結婚三次，皆不幸，一度精神失常。

他成劇本六十多種，戲劇性強烈，有股苦味。最有名的是《茱莉小姐》，寫主人公愛上僕人，最後自殺。他寫心靈與欲望的衝動，令人想起華格納，也可說他是查拉圖斯特拉在瑞典的使徒。他最愛讀尼采。

作品《通往大馬士革之路》（*To Damascus*），已開始手法打亂、時空交換的寫法。主角唯一人，獨白，敘說對世界的絕望，對愛情的恐懼。又有《夢幻劇》（*A Dream Play*），寫天神的女兒要下凡，嫁給律師，失望，又回天堂。

他是個悲觀主義者。他總是要證明：那最寶貴的東西就是得不到的東西，人是製造痛苦的工匠。

小說一流。劇本最多。有自傳體小說《女僕之子》（*The Son of a Servant*），又有《在海邊》（*By the Open Sea*），寫得刻畫入微，元氣淋漓。

史特林堡，《紅色房間》揭露瑞典各個層面，一舉成名。從他開始獨幕劇才正式確立為一藝術種類。

「這一切都是尼采教我的。」他說。最後一部作品《黑旗》（*Black Banners*），猛烈抨擊權貴。他奮鬥一生，令人感動而尊敬。他是由性格上接近尼采進而從思想上受到激勵的。退遠了看，易卜生和史特林堡都是超人哲學。

人稱史特林堡是「暴風雪之王」。

在史特林堡之前，沒有獨幕劇。他之後，獨幕劇才正式確立為一藝術種類，如莫泊桑以後，短篇小說始成為短篇小說。

瑞典還有一位重要的女權運動家**艾倫・凱**（Ellen Key，一八四九—一九二六），她不是文學家，當初對中國影響很大，晚年寫作《愛情與結婚》（*Love and Marriage*），提倡母愛、人倫。

還可提提**海登斯塔姆**（Verner von Heidenstam，一八五九—一九四〇），詩人、散文家，慕古、唯美。善寫各時代各地域的美的追求，有唯美主義傾向，和當時瑞典的現實主義風氣不合。

我在三十年代的茅盾書屋見到這些北歐的譯本，可見當時中國譯者花了許多功夫，後來卻看不到什麼作用：延安、二流堂來的人，作品中有世界文學的影子嗎？有中國傳統文學的影子嗎？

假如唐宋之後，中國直接進入十九世紀，接受世界文學影響——那可精彩啦！可是空掉這麼一大段。

一句話：唯有天才才能接受影響（只有健全的胃口才能消化影響）。敦煌、雲岡，受到多少外來文化的影響！魯迅之為魯迅，他是受益於俄國文學的影響，寫好了短篇小說。他的中國古典文學修養也一流。但他接受得有限，成就也有限。

與魯迅同代的，郁達夫學盧梭，郭沫若學歌德，茅盾學左拉，巴金學羅曼・羅蘭——學得怎樣？

第一心不誠，第二才不足。

海登斯塔姆，詩人，散文家。善寫各時代各地域的美的追求。

講到斯堪地納維亞文學，時時刻刻想到北歐如何受到南歐影響——北歐文學的高度出現了。

再說一遍：藝術家是敏於受影響的。

再添一句：受了影響而卓然獨立的，是天才。

過去沒有受過影響，現在補受也不遲。受了影響，不要怕自己不能獨立。我曾模仿塞尚十年，和紀德交往二十年，信服尼采三十年，愛杜思妥也夫斯基四十多年。憑這點死心塌地，我慢慢建立了自己。不要怕受影響。

「智者，是對一切都發生驚奇的人。」

第54講

十九世紀愛爾蘭文學

神話系　紅枝系　芬尼亞系　葉慈《茵尼斯弗利湖島》

1992.2.16

愛爾蘭民族是世界上最具童心的民族（海涅也常寫小妖魔、小精靈）。愛爾蘭早期文學都以神怪為淵源，成了傳統，古到基督公元之前。

愛爾蘭文學最傑出的人物，當屬葉慈。早年受斯賓塞、雪萊影響。年少才氣橫溢，中年韜光養晦，晚年大放光明，長壽，影響廣泛。

到底何謂文明？愛因斯坦寫給五千年後的信裡，大意是說：二十世紀除了交通、通訊發達，餘無可告美，希望以後的人類以我們的狀況為恥辱，而能免於這種恥辱。

古代文學史

十九世紀愛爾蘭文學，號稱文藝復興。當然不比歐陸文藝復興，但就愛爾蘭言，擺脫大不列顛文學影響，可以說是。

愛爾蘭民族名稱，是凱爾特（Celtic），有自己的文化藝術，與英國有別（英格蘭、蘇格蘭、威爾斯三島與北愛爾蘭，合稱大不列顛，愛爾蘭是獨立的）。十九世紀後，愛爾蘭總想獨立，到一九二一年成，內政自主，外交仍屬大不列顛，首都在都柏林。

心靈誠懇，對超自然的力量，比別族強烈。基督教是主教，但有自己古老的異教的神。那些神都是小妖魔、小精靈，活在水澤森林邊。人是可知的，神是不可知的，小妖魔、小精靈是中間傳播者。

愛爾蘭民族是世界上最具童心的民族（海涅也常寫小妖魔、小精靈）。愛爾蘭早期文學都以神怪為淵源，成了傳統，古到基督公元之前。古代傳說可分三大系：一，神話系（Mythological Cycle）；二，紅枝系（Red Branch Cycle）；三，芬尼亞系（Fenian Cycle）。

神話系，講諸神衝突。故事紛亂，主角巨大，唯美形象，性格粗魯輕率，不定型。比較原始。紅枝系，也稱英雄系，故事大抵發生在耶穌公元七、八世紀，情節優美，故事較有條理，有結構。芬尼亞系後於紅枝系二百年，主要人物是芬·馬克·孔海爾（Finn Mac Cumhail）與其子奧西恩（Ossian），他們既是武士，又是詩人，是一群芬尼亞武士的中心。這三系的傳奇最初是韻文，後來加進散文。此為愛爾蘭古代文學史。今天只講十九世紀。

葉慈及其詩中的八種觀點

哥爾德史密斯、伯克、王爾德，這幾位說是英國文學家，其實都是愛爾蘭人。當時有派，稱「少年愛爾蘭」（Young Ireland）。當時還有德國人提「少年德意志」，清末，梁啟超曾提出「少年中國」。

初有曼甘（James Clarence Mangan，一八〇三—一八四九），「少年」中以他天才最高，為「愛爾蘭文藝復興」（Celtic Revival）的先驅者。小說家有埃奇沃思

（Maria Edgeworth，一七六七—一八四九）寫愛爾蘭人的生活，又有李弗（Charles Lever）寫少年浪子的故事，勒夫爾（Samuel Lover，一七九七—一八六八）寫農民生活。

這幾位小說家的特點，是描寫仔細，這時代中產階級最重要的作家叫格里芬（Gerald Griffn，一八〇三—一八四〇），專寫中產階級生活，詩也很可愛，尤其情詩。

因愛爾蘭文藝復興作家很多，被遺忘而當時重要的作家，只能略去。

今天這堂課全部講葉慈（William Butler Yeats，一八六五—一九三九）。

中譯很多：夏芝、葉芝、葉慈。愛爾蘭文學最傑出的人物，當屬葉慈。早年受斯賓塞、雪萊影響。年少才氣橫溢，中年韜光養晦，晚年大放光明，長壽，影響廣泛。

（在座中間，金高韜光，略微養晦——「韜光」，蓋起光來，「養晦」，裝得很倒霉的樣子。）

初寫〈奧辛的漫遊〉（The Wanderings of Oisin），進入創作期，成為象徵愛爾蘭精神的代表人物（不要為自己得不到風格而著急，要把性格磨練得鋒銳。性格在，風格就在，性格愈鋒銳，風格愈光彩）。

最高一層天才，是早熟而晚成——不早熟，不是天才，但天才一定要晚成才好。有的是晚而不成。林風眠，後來畫的畫不能看了。他的年齡超過葉慈，晚年卻如此悲慘。他自己講過：「我晚年不好的，六十四歲要死。」結果沒死，但六十幾歲時，「文革」起來，入獄。

葉慈大部分詩寫民間傳說和信仰，有濃厚的愛國色彩。一八九五年出《詩集》，是前中期的佳作，以山川風物、鄉村農民的感想入詩。看他一生，早年稱頌自然與人情之美，晚年傾向神祕主義。有詩集稱《葦間風》（*The Wind Among the Reeds*），是代表作。此後的詩集比較深奧，一般稱比較難懂。

出生在一個畫家家庭，自己以寫作為生。成名後曾出任國會議員和教育視察員。早期詩承十九世紀後期浪漫主義，充滿世紀末的悲哀，有唯美主義傾向。他

葉慈，愛爾蘭文學最傑出的人物。看他一生，早年稱頌自然與人情之美，晚年傾向神秘主義。有詩集稱《葦間風》，是代表作。

厭惡商業文明帶來的騷亂，希望遠離現實世界，到想像中的小島去生活。《茵尼斯弗利湖島》（*The Lake Isle of Innisfree*），抒情詩集，寫的是他以上的情懷。

葉慈是我少年期的偶像，一聽名字，就神往，這種感覺我常有，許多人也有。這道理要深究下去，很有意思——人有前世的記憶（我最早看到的還是「夏芝」的譯名，已覺得很好了）。

他的幾個觀點，我有同感。但講下去，又要離開他了：

一，厭惡，乃至痛恨商業社會。

二，歷史是個螺旋體。

三，二千年是個大年。

四，世界已保不住中心，已經來的、將要來的，是反文明。

以上，即使不算真知灼見，也比別的詩人高明得多。他將這些意思表現在詩裡，不是體系性的哲學說理。詩不能注解，一注解，就殺風景。我涵義過分隱晦，是一種失敗。T．S．艾略特的詩，太隱晦，太多注解。我寫詩，從不肯注解。中國古詩，好用典故，我警惕，不願落在這種美麗的典故裡。我隨時克制自己，一多用，就落俗套。如果用典，我很慎重。

五，貴族政治（因有財產，知書達理，才能產生高尚的統治者，是廉潔的，會保護藝術）。

六，人類歷史是由「旋體」和「反旋體」兩個圓錐體構成的，前者代表空間、客觀、道德；後者代表美感、時間、主觀。

七，世界末日將要到來，基督重臨人間主持最後審判。

八，宇宙間存在一個「大記憶」，一切經驗、知識都彙集「大記憶」中。

這樣，我把葉慈的思想，從他的詩中提出來，列成八種觀點，等會兒說。

（休息）閒聊：

六十年代我外甥女婿寄來英文版《葉慈全集》，我設計包書的封面，近黑的深綠色，李夢熊大喜，說我如此瞭解葉慈，持書去，中夜來電話，說丟了。我不相信，掛了電話，從此決裂。

借葉慈名義，整理整理我們自己的觀點：

一，他反商業社會。商業社會是什麼？人類開始，沒有商業，只有物物交換，互補有無，兩廂情願，皆大歡喜，人際關係很單純、很樸素。商品社會是人際關係的惡化。從前雙方都是物的主人，欺詐性小。商人不是物主，是物與物之間的人物，他持貨，貨又成籌碼，成貨幣。一件物品成了商品，反覆轉折，才到人手中，這樣反覆轉折的過程，乃商業社會結構，養活了一大群不事生產的人。商人之間又勾結，又利用，形成世界大網，這大網就成資本主義的意識形態（讀馬克斯《資本論》，很有味道的）。

商品社會的緣起，形成，到意識形態。到了意識形態，即成極權。商業廣告，就好像社會主義國家到處都是標語口號，只是社會主義極權是硬性的，資本主義極權是軟性的，但都是極權。但資社兩邊的利益目的不同，所以鬥爭，社會主義要權，資本主義要錢。根本不同是，「權」直接關係到統治者的人格生命，「錢」間接關係到統治者的人格生命，故後者略微好受一點。

暴君可以暴到死，還有家族接。西方總統要換，如不換，也必出暴君。但兩種意識形態比較，綱目繁多，不是一兩種可以說盡，我只是想說，商業社會，不是文化，也不是文明。

我們在美國，美國治國大計，是實用主義理論，最有名杜威，還有皮爾斯、威廉·詹姆斯——這種哲學是沒有遠見的庸人哲學。

什麼是實用主義？認為真理是相對的，隨時代變而變。見效，是真理，不見效，非真理。總之，要為我所用。我，第一性；真理，第二性。推論下去，是沒有真理。真理，被架空了。

這個架構，是很迷人的。

所以紐約港口的大女人是「自由女神」，不是「真理女神」。實用主義，單從理論上不失為一種見解。在實際效果上講，美國因此大富大強，可是世界卻在壞下去。我從小鄙視好萊塢和美國生活方式，所以在痛恨商品文化上，我和葉慈一致（實際生活中我們有機會賺錢，還是要賺，賺到後，還是反商業文化）。

可怕的是，這已經形成了。形成了，就很難回去。所以西方很多人懷舊，懷念那種樸素的人際關係。

我最早的解釋是：伊卡洛斯進了迷樓了。

思想上，我們還是要反對商業社會。你看紐約，誰不是商品？

二，歷史發展螺旋體。這比喻很好。簡單說，所謂「螺旋」，周而復始，又不在一個平面上，歷史事件確實往往重複，又不是翻版。有人說歷史是進化的，此說只能迷惑一班迷戀物質的凡夫俗子。進中國博物館，光看陶器，一朝不如一朝，愈古愈好，愈現代愈不好。

到底何謂文明？愛因斯坦寫給五千年後的信裡，大意是說：二十世紀除了交通、通訊發達，餘無可告美，希望以後的人類以我們的狀況為恥辱，而能免於這種恥辱。

葉慈此說是詩人之說，說說也好。以我這「散文人」看，世界是沒有定向、沒有規律的。世界這隻大船根本沒有船長，有人毀壞，有人修補，但不問這船究竟航向哪裡。可以預見，這船會爆炸，會沉沒，沉沒在宇宙裡。

三，二千年大年。這說法有點意思。從巴比倫到耶穌，二千年，從那時到現在，又是二千年。此說完全是西方的算法，中國對不上。很多智者寄希望於新世紀，我是徹底的悲觀主義者——二十一世紀不會出現什麼奇蹟，不會回到莫札特，不會「第三波」（The Third Wave，第三次浪潮），但也不會完。商業社會是個帝君，共產主義敗在帝君手中。

四，世界已失中心，將來反文明。後一句是對的，前一句只是講講。世界曾經有過中心嗎？第一、第二世界，羅馬、大唐，也只是一方之霸。真要說世界精神文化的中心，沒有看見過。看歷史，這中心不可能。沒有救世主，不會有一致的方向。他講的世界中心，大概是指基督教。

反文明，則早在反了。所有現代文明，只是新技術，新技術不產生任何真的文化藝術。科學技術的革新，不是精神文明的發展。

文化，是一個概念，文明，不是一個概念。現在，我覺得，文明、文化是一個涵義，文明不能包括科學技術，科學技術高明，不等於文明高明。從前用刀殺人，現在用槍殺人，文明嗎？更野蠻。

文明，應該是指精神道德的高度。

文化，應該是指心靈智慧的創造。

現象上看，科學技術的方便，非常文明似的。家用電器在中國成了人生奮鬥目標，可是經濟起飛不等於文化起飛。倒是相反，經濟起飛，價值觀顛倒了，大家唯利是圖，而空氣污染、生態破壞。所以葉慈的「反文明」不失為「預言」，證實了詩人所見不謬。這些道理，我在〈哥倫比亞的倒影〉中表呈過了。可以說我是到了海外才比較有深度地瞭解葉慈，以前在上海與李夢熊談葉慈，很淺薄的。

五，貴族政治。我以為是政見，是理想主義的。葉慈生在十九世紀末，有這種政見，其實是在為貴族政治唱輓歌。貴族的沒落消亡有二：自身衰落、王朝淘汰。

以中國清宮世襲而言，一代不如一代。法國皇朝，近親通婚，漸出白癡，沒落（普魯斯特的《追憶似水年華》，有所描寫）。這是貴族自身的問題。而政治制度，當今早已大變。日、英等皇家都只是擺設，模特兒。

葉慈所謂貴族政治，是出於概念，一廂情願。馬克斯以為工人階級是當然的統治階級，也是一廂情願，出於概念。

我以為貴族政治不可能了。由藝術家來統治？有幾個藝術家有政治頭腦？物質上的貴族，不可能執政。精神上的貴族，也不會去執政，他有自己的境界。藝術家是無人保護的，不求人，自己好好生活。《易經》有言：「不事王侯，高尚其事。」豈非貴族得很！

六，人類歷史是「旋體」（Gyre），比較形而上。那是一個數學詞，葉慈分成正旋、反旋，究指何意，不詳。我無法自作多情去解釋。但他把道德／美感、時間／空間、主觀／客觀對立，我以為不是。「社會科學」一說，不成其為科學，我當初就不承認。

人類本身是不確定的易變體，人人不同，人在不同的環境中又要變。如此情形，如何以科學分析歸納為公式定律？

大思想家最有意思的是他們的短句，而不是他們的體系。

明白社會科學不成其為科學，再去觀察分析人，倒每有真知灼見。

七，世界末日問題。西方一千年前就以為世界末日到，大為恐慌，因為十世紀時，民智未開，以為要來，結果不來，過了一千年，也不來。「耶穌重臨」是比喻，不是事實。他來不來，與我無關。他的才智性情使我著迷。我不是基督徒，不想進天國，人間已寂寞，天堂是沒有沙的沙漠——天堂裡不是已經有很多人嗎？但丁、浮士德……真要是面對面，多不好意思——葉慈是希望耶穌來的。托爾斯泰和高爾基談道：啊，耶穌要是來了，俄國這班農民怎麼好意思見他？

我的看法是，耶穌來了，還是從前的耶穌——人類卻不是從前的人類了。所以耶穌還是不要來好。

零零碎碎的耶穌，不斷會來的。

葉慈晚年趨神秘。但他的神秘，恐怕也不出乎奇蹟出現的那個模式：假先知橫行、毒龍噴火、大水災、地震，然後基督降臨。從詩的想像力來看葉慈的構想，還是老一套，不神秘。

我覺得高山大海沒什麼神秘的，山，許多大石頭，海，許多水也。人和自然是個比例問題。我們撿一塊石頭，喝一口水，不會覺得神秘，高山大海不過如此，怎麼神秘了呢？

細節上，我倒覺得動物、植物是神秘的。

我讀葉慈的唯美、神秘詩，比較失望，不唯，不美。

八，宇宙中有大記憶。這是詩人本色，是一個不成其為理論的理論，可與柏拉圖的「前世的記憶」、黑格爾的「宇宙的總念」，顧盼生姿。

我看葉慈此說是「蛋論」。宇宙是蛋白，葉慈說是蛋黃——我看宇宙是個混蛋。

說正經的。我以為宇宙的構成，是個記憶性的構成。或者說，宇宙的結構，類似人腦的記憶的結構。我不說宇宙是記憶的，也不說人的記憶是宇宙。哪一說高明？

這樣子——葉慈的說法，是少年的說法，我的說法，是中年的說法，我們來期待一個老年的說法吧。

以上八點，也算我們對這位愛爾蘭的詩人很優待。我和葉慈五十年交情。他說：「我心智成熟，肉體衰退。」這種悲歎，每個人都有的，他說出來了。

中國嬰兒生出來屁股上都有烏青，打出來的那種烏青，那是因為孩子不願投胎在中國，外國小孩沒有這種烏青的。

他說：「一個老人不過是卑微之物，一件披在拐杖上的破衣裳。」（〈航向拜占庭〉）。

古典藝術順服自然。二十世紀藝術，一句話：人工的藝術。我在六十年代熱中於頌揚人工的藝術；七十年代忙於活命，沒多想；八十年代到美國，大開「人工」的眼界，就厭倦了，也看清自己天性中存著古典主義的教養。但我讚賞古典，不是古典的浪子要回家，我是浪子過家門，往裡看看，說：從前我家真闊氣。

「人工」這說法，很好，有益處。對於「人工」的理解、重視，對於藝術家是必要的鍛鍊。葉慈有先見。

也可以這樣地即興判斷：自然是曲線的，人工是直線的。畢卡索說，直線比曲線美。

我以為這樣說好些：有時，直線比曲線美。

第55講

十九世紀美國文學

霍桑　愛倫坡　馬克吐溫　梅爾維爾　傑克·倫敦　惠特曼

1992.2.23

霍桑把宗教的不可見的道德力量，與情人間的心靈變化，寫得非常緊張真實。許多人讀後寫信給霍桑，講自己的誘惑、痛苦。

愛倫坡是個文學強人，時代社會不喜歡他，他奮鬥至死。我常說的「自我背景」，道德力量，他有，他死後的聲譽總算彌補了他生前的厄運。
每年他的祭日，總有一個黑衣黑帽男人到他墓前持酒獻花，十數年不斷。

我認為惠特曼真的稱得上是自然的兒子。許多人自稱是自然的兒子，可他們自己多麼不自然。
他寫的人體，美感、性感。

宣布獨立，文學開始

今天在美國講美國文學——不是常聽到「五月花」（Mayfower）嗎？是輪船名，載英人開到新大陸，多數是清教徒。這船開到美國，美國文學就開始了。

什麼是清教徒？英國國教教徒之一派，十六世紀後半，這派起而反對舊教，主張徹底改革教會。舊教中許多儀式他們看不慣，主張立教的根本，是簡單純淨。

清教一起，受到迫害，於是逃。有逃到荷蘭，有逃到美國。歷史學者說，「五月花」一到美國，美國文學開始。

這說法可以修改。因船一到，只是帶來文化，船上沒有專業作家，沒有文學天才，那還不是文學。當時是十七世紀（一六二〇年），此後一直還是殖民世紀，至十八世紀，才始現文學，只是傳揚宗教，十七、十八世紀的小說、散文、詩等等純文學，美國還沒有。

到十八世紀後半，一七七六年，美國宣布獨立，文學才真正開始。第一篇不朽的文字，就是傑佛遜（Thomas Jefferson，一七四三—一八二六）寫的〈獨立宣言〉（Declaration of Independence）。雄辯，有魄力，氣勢很大，標榜的境界很高，至今是美國學子必讀課本。

當時最大的人物是富蘭克林。我不說他是文學家。班傑明·富蘭克林（Benjamin Franklin，一七〇六—一七九〇），典型美國性格。他們不是從英國來嗎？卻典型美國：出身窮，經歷豐富，成大名。做過出版商，後從政，做公使，又是科學家，避雷針的發明者，放風箏，把電傳下來——會做生意，會奮鬥。

紐約中國街附近有個美國老商人，我看他做生意從善如流，爽快，聰明，就像富蘭克林。

富蘭克林的理論質實，見解允當，很能感染啟發。尤其《富蘭克林自傳》（*Autobiography*），可稱不朽之作。我稱他是美國式的性情中人。這種人，很可以談談。

歐文——美國文學創始人

這樣我們進入十九世紀了。

英法德俄，是十九世紀的文學基地，而美國能僅次於以上四國，占一席之地。其實美國文學十九世紀還是屬於歐洲的。十九世紀前，歐洲人的口頭禪是「美國沒有文學」，傑佛遜、富蘭克林畢竟不是文學家，是雜家——直到歐文，專業的文學家有了。

華盛頓·歐文（Washington Irving，一七八三——一八五九），美國有兩個開國元勳，一是政治上開國的華盛頓，一個是文學上開國的華盛頓。薩克萊稱他是「從新世界派來的文學公使」。

他的第一本書是《紐約史》（*A History of New York*），第二本是《見聞札記》（*The Sketch Book*，又譯《速寫集》）。《見聞札記》是他成名之作，寫得清妙。歐文的正統作品是《華盛頓》（*The Life of George Washington*），生動真切（華盛頓寫華盛頓）。

他是美國文學創始人。他不是一個狹隘的愛國主義者，在英國、西班牙都住過好些時候。在英國寫過《旅行述異》（*Tales of a Traveller*），在西班牙寫過兩部小說，《攻克格拉納達》（*The Chronicles of the Conquest of Granada*）和《阿爾罕伯拉》（*Tales of the Albambra*）。寫得好，就被美國任命西班牙大使。

另一位同代作家庫珀（James Fenimore Cooper，一七八九—一八五一），脾氣和歐文相反，歐文和善好脾氣，庫珀急躁、好鬥。寫作嚴肅，說故事高手，在海上經歷奮鬥，寫來精彩。熟悉水手航海技術，寫到海，得心應手，凡英文寫海的作家，都以庫珀為領袖。英人康拉德系寫海專家，說庫珀愛海，以最高的理解去看海，書中寫出了「夕陽的色彩，星光的和靜，晴天與暴風雨，海水的偉大的寂寞，看守著海的海岸的靜默」。

庫珀著名作品，一本叫做《海盜》（*The Pilot*），一本叫做《水巫》（*The Water*

歐文，美國文學創始人。薩克萊稱他是「從新世界派來的文學公使」。

Witch）。

歐文與庫珀，是把人生的外觀的奇妙構成作品。後繼的霍桑與愛倫坡，描寫人生的內部。

霍桑——美國文學首創悲劇的人

霍桑、愛倫坡，這兩人都是我們欽佩的。

納撒尼爾·霍桑（Nathaniel Hawthorne，一八〇四—一八六四），是新英格蘭清教徒後代，他本人卻不是清教徒。他從藝術家的觀點去重視良知問題（愛默生也如此），這就很好，很好。所以他能把祖先不能說的人性內部的衝突，寫成小說，以清教徒的心靈，而不是態度去瞭解人性，這是他的偉大處。

大學畢業後即以小說為生，文筆純淨，美國讀者不瞭解，不愛讀他，只有少數文學者愛他的才。愛默生就賞識他。

他說：「我是美國文壇上最無名的。」說得倒也痛快。

然後寫《紅字》（*The Scarlet Letter*），年四十六歲。一舉成名，霍桑、出版

霍桑，寫《紅字》，年四十六歲。一舉成名，霍桑、出版商都吃驚。他說，這是一部「最沒有陽光」的小說。只印五千份，印好後就拆了版。銷光後，只得重排。

商都吃驚。他說，這是一部「最沒有陽光」的小說。只印五千份，印好後就拆了版。銷光後，只得重排。

我說：「這小說沒有太陽光，卻有月亮光。」

主角海絲特．白蘭（Hester Prynne），丈夫外出，她與家鄉一個少年戀愛生子。丈夫回家，知道了——衣服上有「姦婦」（Adulteress）的紅字「A」，是她被判要終生戴著的。她始終不肯說出和誰通姦，自我放逐到荒地，苦幹，為善，把孩子養大。她丈夫留在鎮上工作。少年情人也在鎮上，內心日益痛苦。白蘭與他見面，說逃吧，他不肯，向公眾承認，最後死在白蘭臂上——他自己就是教士，受不了。

霍桑把宗教的不可見的道德力量，與情人間的心靈變化，寫得非常緊張真實。許多人讀後寫信給霍桑，講自己的誘惑、痛苦。

小說家不是上帝，上帝也不寫小說。作家好像天然地有回答讀者的任務，真可怕。

他可以說是美國文學史上第一個寫悲劇的人。

可是第二部他寫起神秘的東西，寫奇談怪論，寫得好。寫古蹟和神話，使美國文學也有了傳奇。又寫《奇蹟書》（*A Wonder-Book for Girls and Boys*）、《林莽故事集》（*Tanglewood Tales*），關於希臘神話。美國兒童接觸希臘神話，得於霍桑的功勞。

他一部書一個樣，每部書都成功，這是他的特點。

愛倫坡——文學強人

歐文、庫珀、霍桑，都是生前成名，親眼看到自己的聲譽，生活也富裕。愛倫坡卻終生貧困、無名，才高於他們，卻早夭。到他冥誕百年，俄英歐各國都感謝愛倫坡的光輝照到了他們的文學。

埃德加·愛倫坡（Edgar Allan Poe，一八〇九－一八四九），自學成才，在報館打工。他潔身自好，很謹慎，對文學虔誠，不肯輕易下筆。世界文學史上記滿潦倒貧困的文學家名字，他是少數偉大的名字之一。他窮，但深知自己的才華、偉大，他是真的貴族，高額頭，一副苦臉，像貓頭鷹，深沉。

出身藝人家庭，從小是孤兒，少年在英國受教育，二十歲發表詩。

他的主張、思想：純藝術，純詩，認為文學創作純粹是主觀思維的過程，小說要追求效果和氣氛，反映現實是次要的。他的小說內容很頹廢，但文學高度精練。很怪誕，情調晦暗低沉，技巧純熟，神秘色彩濃厚，形式精美。馬拉美、波特萊爾都稱他為精神上的領袖。現在很多文學理論都從他出。

世上有兩位故意以偵探懸疑小說來探討心理活動的，一是杜思妥也夫斯基，一是愛倫坡（比福爾摩斯的作者早得多，福爾摩斯的作者畢竟太通俗了）。愛倫坡認為破案不重要，重要的是人在這情節中的心理性格變化。這在當時新極了，現在是普遍了。

作品〈亞瑟家之傾倒〉（The Fall of the House of Usher）、〈阿蒙特拉多酒桶〉（The Cask of Amontillado）、〈紅死神的面具〉（The Masque of the Red Death），寫變態心理、頹廢、死亡心理。還寫過〈金甲蟲〉（The Gold-Bug）、〈失竊的信函〉（The Purloined Letter）。他是偵探小說的首創者。

論者謂他是夢幻的詩人，又非常理性，這兩者並存，在文學史上少有。歌德等是兩者兼而有之，而愛倫坡在這點特別尖銳化，特別現代。

我認為他不屬於博大精深型，是夢幻神秘，又出之理性之筆，百年來無人超

愛倫坡，世界文學史上記滿潦倒貧困的文學家名字，他是少數偉大的名字之一。他窮，但深知自己的才華、偉大，他是真的貴族。每年他的祭日，總有一個黑衣黑帽男人到他墓前持酒獻花，十數年不斷。

過他。

他是個文學強人，時代社會不喜歡他，他奮鬥至死。我常說的「自我背景」，道德力量，他有，他死後的聲譽總算彌補了他生前的厄運。

每年他的祭日，總有一個黑衣黑帽男人到他墓前持酒獻花，十數年不斷。

奇才有奇遇。

十九世紀前半美國小說家，除了歐文、庫珀、霍桑、愛倫坡，還有一個女作家，當時比他們更轟動一時，作品《黑奴籲天錄》（*Uncle Tom's Cabin*，又譯《湯姆叔叔的小屋》）。她名叫**史杜威**（Harriet Beecher Stowe，一八一一—一八九六）。托爾斯泰將這書列為「少數真正的藝術之一」，林肯稱她「挑起解放黑奴一場大戰」。

現在沒人讀了。不是藝術。托爾斯泰說了不算。

她用心良苦，值得尊敬。咱們人生上寬厚，藝術上勢利。顛倒過來呢：人生上勢利，藝術上寬厚。那完了！

史杜威，著有《黑奴籲天錄》。林肯稱她「挑起解放黑奴一場大戰」。

馬克吐溫——美國文學的林肯

後來出了好幾位大作家和有才情的文人——馬克吐溫、威廉・迪安・豪威爾斯、亨利・詹姆斯（中國也有，譬如胡蘭成。有才情的文人，張愛玲，女作家）。

馬克吐溫（Mark Twain，一八三五—一九一〇），是個深沉博大的美國人。豪威爾斯稱他是美國文學的林肯。在美國作家中無人像他那樣知識廣博，熟知美國生活。他是西南人（中西部，南方），常住東部。由於做新聞記者，旅行過世界各地。這種職業最好。旅行後的通訊，出書《傻子的旅行》（*The Innocents Abroad*），也譯作《海外的呆子》，我在「文革」時讀。又有書《頑童流浪記》（*Adventures of Huckleberry Finn*。編按：中國譯作《哈克貝利・費恩歷險記》），描寫自然景色範圍很廣，趣味複雜，說是寫給少年兒童看，其實可以給成人看。

以一個少年人看美國文化，說明美國沒有文化。

大家比較熟悉的是《湯姆歷險記》（*The Adventures of Tom Sawyer*。編按：中國

譯作《湯姆．索亞歷險記》）。兩書當時很流行，馬克吐溫自認後者比前者好。我以為都不甚好。

《敗壞了哈德萊堡的人》（*The Man That Corrupted Hadleyburg*），講欺騙。又有《神秘的客人》（*Mysterious Stranger*），諷刺小說，有點像英國的斯威夫特，憎惡人類，狠狠諷刺。

豪威爾斯（William Dean Howells，一八三七—一九二〇），是十九世紀後半葉美國文壇一代宗師。是他教導了馬克吐溫，也獎掖了許多青年人。他的作品完整，完美，但平庸，缺乏氣魄。他批評別人的書，有眼力，見解獨到。

亨利．詹姆斯（Henry James，一八四三—一九一六），才是大作家。他除了自己生在美國，成年生活都在歐洲。他的知識只限於旅館、博物館、圖書館，卻是個世界性作家。短篇小說著名。歐洲人都很敬重他。他多寫生活在歐洲的美國人。

馬克吐溫（上），美國作家中無人像他那樣知識淵博。亨利·詹姆斯（下），世界性作家，短篇小說著名。

其餘人略而不講，除了歐·亨利（O Henry，一八六二—一九一〇）。短篇小說幽默滑稽，常能及人性秘密，構思奇特，結局出人意外，我也學過這種寫法。一般認為他的作品詼諧、警闢，我還發現一個特點：他寫得很秀美。這特點可貴。他像個大老粗，忽然來這麼秀美一下。

梅爾維爾、傑克·倫敦——世界性小說家

我認為，前面這些作家都不算什麼世界性大小說家。但有一個人，不得不拜倒他：**赫爾曼·梅爾維爾**（Herman Melville，一八一九—一八九一）。他是大師級的。出身紐約，少喪父，家貧，做過職員、店員、水手、教師。水上生活對他的創作有決定性影響，許多小說寫航海中的遭遇和人物。早期亦多寫異國風土人情和對社會的見解。

直到他寫出《白鯨記》（*Moby-Dick*），展開偉大壯麗的畫面，有勁，陽剛——飯後兩個好漢掰手腕，通宵不分上下，一批批公證人退走、休息，還不分上下，有勁啊！

很神秘，很有象徵性。據說是捕鯨魚的百科全書。還有傑克・倫敦，他和梅爾維爾才是美國的大作家。

《白鯨記》中的亞哈船長，所向無敵，遇到白鯨，不行了。回陸地後，想想算了，結婚了，婚禮夜，忽然想出海把白鯨宰了，憑他被白鯨咬剩的一條腿捕鯨，搏鬥，後來人、鯨都死，白鯨身上插滿標槍——白鯨之白，那是因為老了，發白了，象徵性大！

他寫時，並不當它是象徵寫的，這好。讀來直接從生活來的，一點不概念，不是故意寫的。

傑克・倫敦（Jack London，一八七六—一九一六），大家都知道，母親是個女巫，從小很苦，成大名，最後自殺的。別墅被人燒掉，在舊金山發一小冊子，遍請有才能的人食住，住到願意離開的時候。

每天早飯後請人講故事，晚上寫出來。

《馬丁・伊登》（*Martin Eden*）、《野性的呼喚》（*The Call of the Wild*）、《海狼》（*The Sea-Wolf*），好啊，偉大。

梅爾維爾（上），少喪父，家貧，做過職員、店員、水手、教師。水上生活對他的創作有決定性影響。著有《白鯨記》。

傑克·倫敦（下），從小苦，成大名，最後自殺。著有《野性的呼喚》、《海狼》等。

大詩人惠特曼及其他詩人

換換。美國的詩人。

革命時期，有一詩人叫弗瑞諾（*Philip Freneau*，一七五二—一八三二），美國第一個詩人。作品有《印第安的墳墓》（*The Indian Burying Ground*）、《野生的忍冬》（*The Wild Honey Suckle*）。

第一個重要的詩人是布賴恩特（William Cullen Bryant，一七九四—一八七八），曾任紐約晚報編輯五十餘年，一輩子做。是論文家、批評家，詩名最盛，技巧純熟，風調清新，描寫景物中寄託深思。曾翻譯《奧德賽》。

詩人中，應推愛倫坡為怪傑。詩集僅薄薄一本，即表現最優美的形式。最著名的詩是〈烏鴉〉（The Raven），暗示有力，富於色彩，刺激情緒，對法國象徵主義特別有感應。以現代詩的成就講，愛倫坡的成就未必太高，當時的象徵、比喻，故意造作太多。

愛倫坡的散文、小說、評論，都充滿詩意，這才是真正的詩人（李白寫散文，蘇東坡、歐陽修寫散文，都詩意濃厚）。真正的詩人，在其他體裁上都是詩意的。可見在文學中，詩畢竟是最高的形式。

美國最交運的詩人是**朗費羅**（Henry Wadsworth Longfellow，一八〇七—一八八二），脾氣和藹，謙虛，甜甜的，涼涼的，我稱他是「冰淇淋詩人」。曾封為桂冠詩人，我又要說了：是平民的桂冠詩人。美國的平民需要他。中國的貴族看不上他，錢鍾書卻研究他，錢鍾書是這樣的。

洛威爾（James Russell Lowell，一八一九—一八九一），次要的，帶過講講。自稱受雪萊影響，歌頌自然，諷刺詩寫得較好。

梅爾維爾、愛默生，也算詩人，都不重要。大詩人是惠特曼。

沃爾特·惠特曼（Walt Whitman，一八一九—一八九二），代表作，也是全集：《草葉集》（*Leaves of Grass*），中國有很好的譯本，我曾很喜歡。散文詩（Free Verse），無舊詩的形式拘束，忽長忽短，充滿詩意。歌自然、男人、女人、新興的工業等等。

又精美，又粗獷。十足是大地的，自我的，陽剛的。

我是先讀尼采，再讀惠特曼，好像高山峻嶺上下來，到海中洗個痛快澡，好舒服。

他是非常人間的。當時美國正處於上升時期，初期工業時代是浪漫。他很窮，沒人出他詩集。活著時無人承認他是大詩人——還是寫，寫得豪放：「國家議會要開會，要我去參加，可我和一個青年約好，到時候，還是到海邊去，和他躺在一條被單下。」

二十世紀初才聲名大噪，現在又忘了他。

我認為惠特曼真的稱得上是自然的兒子。許多人自稱是自然的兒子，可他們自己多麼不自然。《詩經》，自然的，唐宋詩詞，不自然了。

惠特曼，活著時無人承認他是大詩人。代表作《草葉集》。二十世紀初才聲名大噪。

他寫的人體，美感、性感。

我同意他的意見：人體好就好在是肉。不必讓肉體昇華。所謂靈，是指思想，思想不必被肉體拖住。讓思想歸思想，肉體歸肉體，這樣生命才富麗。

並非惠特曼對我有影響——是我喜歡他。那些珠光寶氣的桂冠詩人，我不喜歡。

他的詩讀了令人神旺。

論文作家：愛默生與梭羅

論文作家呢？**愛默生**（Ralph Waldo Emerson，一八〇三—一八八二）。

我到美國買的第一本書，是愛默生。張愛玲譯的。我喜歡這本書。

出身清教徒。自己不是牧師。「我愛耶穌。但叫我穿上黑袍去傳道是不願意的。」他說。

他不講結構，說到哪裡是哪裡。但文句、思想，很可愛，很可貴。美國知識分子口中常常引他的句。

他非常會接受別人的思想，別人的警句美思，到他那兒即愛默生化了。談話是沒有結構的。他是個談話的好手，常有可愛的句子，寶貴的思想。他說：

> 保持世界的力量在於一種道德良知的潛流。

梭羅（Henry David Thoreau，一八一七—一八六二），是愛默生的朋友。愛默生有錢，梭羅窮，在愛默生家打工，愛默生尊敬他。讀他寫梭羅的傳記，非常感動：他多麼瞭解梭羅。在他筆下，梭羅是另外一種類型的自然之子。

> 一個死掉的孩子的鞋子，還要給他的弟弟穿，這個世界真悲哀。

這是梭羅的句子。

愛默生（上），美國知識分子口中常引他的句。
梭羅（下），窮，在愛默生家打工，愛默生尊敬他。著有《湖濱散記》。

看他的相，還是一個知識分子。我喜歡最好是一身肌肉，可是坐在那兒寫，全是知識。

一身好肉，裡頭是一顆黃金的心！

他有書《湖濱散記》（*Walden*。編按：中國譯作《瓦爾登湖》），可以看的。

他描寫自然，同時寫哲思。美國是不出哲學家的，但他倒真是認真在思想。他厭惡都市，到華爾騰湖畔隱居兩年，木屋、木梁，寫此書，心很靜。

> 迷路，先找路，找不到，不找了，任憑兩隻腳走，走回了家。

他寫。

我到那湖看過，真失望。書是寫得不錯。

下次講中國，回去看看。

第56講

十九世紀中國文學

黃燮清 《兒女英雄傳》《海上花列傳》 龔自珍 鄭珍

1992.3.8

十九世紀雖說中國沒出大小說家，但那時小說家倒是各有地盤，都寫前人所未寫。陳森寫《品花寶鑒》，文康寫《兒女英雄傳》，韓邦慶寫《海上花列傳》，最有名是李汝珍的《鏡花緣》。

當時京城士大夫都是以狎伶為習，招來陪酒歌舞，直到清末才漸息。當時稱男妓「相公」，原語是「像姑」，不雅，遂稱「相公」。《品花寶鑒》，主角杜琴言，也同時是「女主角」。中國舊小說，僅此一部，寫戲劇界中同性戀。

十九世紀中國文學沒有什麼大天才。中國近代文學盛期，是在十八世紀，有《紅樓夢》等等。十九世紀，是歐洲文學興旺，但沒有影響中國。西風還未東漸，也沒有出大天才，不過文學的命脈總算沒斷。

戲曲四家

戲曲，四個人有成就：黃燮清、周文泉、陳烺（燈光很亮很亮之意）、余治。

黃燮清（一八〇五—一八六四），字韻甫。著作「倚晴樓七種曲」：一《茂陵弦》，寫司馬相如和卓文君的故事。茂陵，漢武帝陵，相如晚年居於此。二《帝女花》，寫明朝莊烈帝女長公主與周駙馬的故事。三《鶺鴒原》（鶺鴒，鳥名，《詩經》裡有句「鶺鴒在原」，指兄弟友情），寫曾友于故事。四《凌波影》，寫曹植遇到洛神事。五《鴛鴦鏡》，寫謝玉清與李閒事。六《桃谿雪》，寫貞女吳絳雪事。七《居官鑒》，寫王文錫居官清正事。

其中，《茂陵弦》與《帝女花》寫得最好。大抵雄偉氣概不足，旖旎風韻有餘。他是十九世紀中國劇壇的頭牌。

周樂清（一七八五—一八五五），號文泉，曾任縣官，出差上京，途中寫成八種劇本，合稱「補天石傳奇」八種：一《宴金台》，敘燕太子丹興兵伐秦雪恥事。二《定中原》，敘諸葛亮滅吳魏事。三《河梁歸》，敘李陵滅匈奴而歸漢事。四《琵琶語》，敘王昭君歸漢事。五《紉蘭佩》，敘屈原復甦，用於楚懷王事。六《碎金牌》，敘秦檜被誅，岳飛滅金事。七《紞如鼓》，敘鄧伯道復得子事。八《波弋香》，敘荀奉倩夫婦終得偕老事（弋，指射飛禽）。

希臘悲劇是勇者的文學，中國這些東西是弱者的文學。大抵都是作者對歷史事件和人物的空想，以虛構快人心，補償歷史的缺憾遺恨。以這種觀點創作，決定了寫不好的，近乎兒戲，反歷史、反悲劇，使人更加軟弱污濁。所謂「平反」，自古如此。「文革」後全國人民搞平反，爭平反，大抵就是出於這種傳統心態。

陳烺（一七四三—一八二七），作有「玉獅堂十種曲」，分前四種，後六種。前四種：一《仙緣記》、二《海虬記》、三《蜀錦袍》、四《燕子樓》。後六種：一《同亭宴》、二《回流記》、三《海雪吟》、四《負薪記》、五《錯姻緣》、六《梅喜緣》。有多種是用《聊齋志異》故事寫成劇本。以《燕子樓》最著名。

以上三人都是照明朝人的戲曲模式創作，成「昆曲」曲調。何謂昆曲？指以昆山的腔調唱出的戲曲。當時有北曲、南曲，一度南曲伴奏僅用弦索，唱北方的官腔。後改革者出，姓魏，加入笛、笙、琵琶等各種樂器。他活躍於昆山，昆山腔由他倡揚得名。他叫魏良輔。

京劇，西皮二黃，簡稱皮黃。

余治（一八〇九—一八七四），以皮黃寫劇，他在京劇史上很重要，是京劇的祖師輩人物。《庶幾堂今樂》是皮黃世家少有的自己的劇本。原書近四十種，今傳世二十八種，如《硃砂痣》等，今日還在上演。

小說家：李汝珍、文康、韓邦慶、石玉昆

再說小說。十九世紀雖說中國沒出大小說家，但那時小說家倒是各有地盤，都寫前人所未寫。陳森寫《品花寶鑒》，文康寫《兒女英雄傳》，韓邦慶寫《海上花列傳》。最有名是李汝珍的《鏡花緣》，人物以女人為中心，譬如寫到媒婆。

從前的媒婆，不得了，我親自見過……匆匆來去，走以後，空氣都變了。打扮得乾乾淨淨，頭髮梳得一絲不亂。「菸是好久不抽了。」一會兒拿起一支菸了——「喔喲，忘了忘了！」

李汝珍、陳森、文康、韓邦慶，他們的好處，是都各墾各的處女地，不襲取前人一針一線。非常奇怪，很難分析原因。我猜他們其實並不自覺，而是當時環境、心情所使然。

譬如，《鏡花緣》寫海外奇遇，《品花寶鑒》寫戲劇界的同性戀，《兒女英雄傳》寫女俠客愛上公子，《海上花列傳》寫上海妓女。（略記當年梅蘭芳的別

名：畹華。）

李汝珍（約一七六三—約一八三〇），字松石。這人很怪，是個雜家。通音韻，懂看相、算命、風水、土遁（一秒鐘內到上海）、星相等等。書法、棋道也有研究。如此聰明，不得志，晚年寫小說，排遣寂寞，不久死，得年六十多歲。

一生的興趣都放在《鏡花緣》中了。一大段談音韻，大段談藝術、談酒令、相術等等。歷史背景放在初唐，時有徐敬業，討伐武則天，敗，將士散。有唐敖（書中主角）與徐有舊，唐妻弟林之洋，海外販運，唐隨行散悶求仙，路上遇到許多奇事。史料根據是《山海經》之類，加油添醬，成小說。唐敖後來上神山，成仙。再後來武則天開考招女狀元，女傑又討伐武則天等。

書不精粹，不一致，有深刻的諷刺，滑稽的描寫。缺點是議論冗長，結構混亂，最差勁的是前半後半全然不呼應，前半諸才女文雅纖麗，後半忽然耍刀弄槍，破陣殺敵——荒唐。這是對小說的一般要求，不是求全責備，所以總歸算不了藝術品。想像力倒滿豐富的。

《兒女英雄傳》寫得較好，民間流傳甚廣。作者文康，道光初年至光緒初年在世。結構比《鏡花緣》要縝密得多。寫俠女何玉鳳，假名十三妹，父被奸臣殺，要報仇，練成高強武藝，到處雲遊。在客棧遇安驥，美少年，有學問，被強盜困，十三妹救之。後來殺父奸臣為朝廷斬首，十三妹不必報仇，打算出家，為人勸阻，與安成婚。且有女張金鳳，與安驥同落難者，由十三妹做媒，共成安驥金玉之妻。

完全是傳奇，理想化，人物寫得很生動。最好是〈十三妹大鬧能仁寺〉，說書名段，婦孺皆知。缺點是宣傳封建道德，優點是全靠北京話寫，十分流利，僅次於《紅樓夢》。

附帶提一提《蕩寇志》，作者俞萬春（一七九四—一八四九）。他反《水滸傳》，專寫一百零八位好漢的末路，非死即誅，情景淒怖，我看不下去，我喜歡的一百零八將都給他弄死了。我很為萬春太息。他筆力雄健，又善結構，為什麼不去自己寫小說題材，要去和《水滸傳》鬧？可見才華不等於頭腦——當然，頭腦也不等於才華。

這種小說，從前民間有的是，連男女傭人都知道，琅琅上口。

也要講講《燕山外史》，作者陳球（約一八〇八年生，卒年不詳），他靠賣畫維生，善寫傳奇、工駢儷（兩馬走，駢；兩人並，儷。從前四六駢儷，「落霞與孤鶩齊飛，秋水共長天一色」是也。從前考試，一定要考這。見功夫，很難。我曾有對句：「錢塘有潮不聞聲，雷峰無塔何題詩？」）《燕山外史》，全以駢儷體寫成。

還有《平山冷燕》，作者不記得，也都是「才子佳人」小說，文字極工對仗，不免處處板澀，但影響了後來的鴛鴦蝴蝶派。

《品花寶鑒》，作者陳森（約一七九七—約一八七〇），常州人，長住北京，熟於梨園內部情況。當時京城士大夫都是以狎伶為習，招來陪酒歌舞，直到清末才漸息。當時稱男妓「相公」，原語是「像姑」，不雅，遂稱「相公」。主角杜琴言，也同時是「女主角」。中國舊小說，僅此一部，寫戲劇界中同性戀。

我小時候偷看，莫名其妙，其中有伶人杜琴言者，我以為是女伶，其實是男子。後來看懂了，就失去興趣了。

另一部《青樓夢》，作者俞達（？—一八八四），具名慕真山人，書成於光緒四年，也寫妓女，可算妓女小說始祖。也可說是俞達的回憶錄（光緒年間），專寫妓院生活。

《海上花列傳》寫得高明，是寫實主義的。中國近代小說，到了《海上花列傳》，脫盡浮妄的舊習。當然，《金瓶梅》、《紅樓夢》在前，按說不應該再落入「傳奇」老套，但事實是，從《金瓶梅》、《紅樓夢》到《海上花》的中間，又出了很多傳奇。

作者韓邦慶（一八五六—一八九四），字子雲，筆名「雲間花也憐儂」（古文中「儂」指「我」，「雲間」是松江舊名）。他善棋，好鴉片。松江人，常住上海，在報館做編輯，標準文人，是妓院中的老客人，閱歷豐富。此書用上海方言，夾很多蘇白，全國性推行困難。張愛玲非常喜歡，親自翻譯成國語。

結構不強，比較散漫，因是報人，為文多據社會新聞增加情節。好處是筆法生動，引人入勝，影響了幾十年，一定要說怎樣的文學價值，說不上。

講到這些，發點感想：《品花寶鑑》、《海上花列傳》，論題材，極好，作者又真實體驗過來，才情也不錯，就是達不到《紅樓夢》的高度，因為作者是文人報人——奇怪的是，曹雪芹怎麼有藝術家的自覺？

當時還流行《三俠五義》、《施公案》、《彭公案》等，講述英雄好漢，寫包公斷奇案，破案要有警探。

《三俠五義》作者石玉昆，出了書，流行在一八七九年左右，一直流行到一九四九年解放。這一大讀物，家喻戶曉，後改成《七俠五義》。主角包拯，中國理想的清官，俗稱包青天、包龍圖。三俠是南俠展昭、北俠歐陽春、丁氏雙俠丁兆蘭與丁兆蕙。五義（五鼠）是指盧方、韓彰、徐慶、蔣平、白玉堂等人。這書結構完整，故事奇妙多變，文辭流利明白，比現在的警匪片、偵探片、武打片精彩得多了。

小時候吃過晚飯，傭人就在家裡講這些，講到忘記時，「日行夜宿，日行夜宿……」但不肯翻書。翻書是坍臺的。

所以我很懷念從前的民間社會，可惜不再來了。我也不過是享受到一點夕陽殘照。那時年紀小，身在民間社會，不知福，現在追憶才恍然大悟，啊呀啊呀，那可不就是民間社會嗎？

怎麼會有一天在紐約給你們講《七俠五義》？人生是很奇怪，沒有一點好奇心是不行的。

《施公案》（編按：作者佚名）出在《三俠五義》之前，寫得比較老實拙直，但當時也很流行，講康熙時清官如何判案。「名臣斷案，俠客鋤奸」，這類書就是這八個字，最易吸引人。

很懷念從前的民間社會。

詩人十家

詩人在十九世紀很寂寞。不過，還是有精英分子——梅曾亮、張維屏、金和、黃遵憲、王闓運、龔自珍、何紹基、鄭珍、莫友芝、李慈銘、曾國藩（曾，還有左宗棠，文章好極了）。

梅曾亮（一七八六－一八五六），字伯言，善古駢文，詩簡練明白：

滿意家書至，開緘又短章。
尚疑書紙背，反覆再端詳。

沒有什麼大不了的，但他有他的意思（據說有個色鬼看到一裸女照片，將照片反過來）。

張維屏（一七八〇－一八五九），字子樹。有《聽松廬詩鈔》（他的詩，暫找不到，從略）。

龔自珍（一七九二－一八四一），號定盦。名句：

我勸天公重抖擻，不拘一格降人才。

才氣縱橫，磊落不群。當時一群年輕人非常喜歡他的詩。

黃金華髮兩飄蕭，六九童心尚未消。

叱起海紅簾底月，四廂花影怒於潮。

何紹基（一七九九—一八七三），字子貞。精於「小學」（語言文字之學，包括文字學、訓詁學、音韻學）。詩崇拜蘇東坡和黃山谷，有《東洲草堂詩鈔》。

鄭珍（一八〇六—一八六四），字子尹。詩沉鬱、嚴整，當時是大家：

前灘風雨來，後灘風雨過。

灘灘若長舌，我舟為之唾。

曾國藩（一八一一—一八七二），字伯涵，號滌生，湘潭人。鄉村起兵，平洪秀全得名。一代文人保護者。有《曾文正公詩集》。編過《十八家詩鈔》。

金和（一八一八—一八八五），字弓叔。和鄭珍並稱兩大家，詩風沉痛慘淡。

黃遵憲（一八四八—一九〇五），字公度，廣東人。有《人境廬詩草》。名句：

> 我手寫我心，古豈能拘牽？
> 即今流俗語，我若登簡編。
> 五千年後人，驚為古斕斑。

王闓運（一八三三—一九一六），字壬秋，湖南湘潭人。做過民國國史館館長。詩風直追魏晉。齊白石曾拜他為師。他日記中寫：今日齊木匠來，文尚成章，詩學薛蟠體。

李慈銘（一八三〇—一八九四），字炁伯（炁，氣也，同聲）。與王闓運同為騷文大家。

散文家

再講散文。當時「古文派」是繼承「桐城派」的餘緒，曾國藩氣派大，境界高，也不能脫盡桐城派。所謂桐城派，不過是文學上某一種文章作法。姚鼐（一七三一—一八一五。鼐，大到可以供牛住的鼎）為其理論完成者。他主張寫文章簡單整齊嚴格，反對華而不實，是清文學正宗，上來自韓愈文風，又溯宗諸子百家。桐城派傳了兩代。此後古文家受影響。

另有不屬古文派（桐城）又不屬駢文派的，有包世臣（一七七五—一八五五）（龔自珍也算）、譚嗣同（一八六五—一八九八）、俞樾（俞曲園，一八二一—一九〇六，是俞振飛的族輩，所以俞很神氣）。

譚嗣同有書《仁學》，為戊戌政變被害六君子之一，銳意振新，言論大膽，力主「改革開放」。

第57講

十九世紀日本文學

松尾芭蕉　俳句　井原西鶴　近松門左衛門　芥川龍之介

1992.3.22

明治維新十年以前的文學小説，都是吃了前朝的殘羹冷菜，好在命脈不斷。看中國，斷層不斷，不止一次，是三次斷層。

芥川龍之介的散文和短篇小説，寫得極好，電影《羅生門》就根據他的兩篇小説合併改編。他真正稱得上世界公民。日本文學以芥川為最高。「人生真不如一行波特萊爾的詩。」即是他的句子。

近代，十九到二十世紀，日本文學很興旺。東亞，只有日本人得諾貝爾獎。好處是明治維新以後，確實是一浪高過一浪。

按說他們的文化歷史，不過是唐家廢墟，從中國移植過去的，弄成平假名、片假名，就是拿中文的正楷字和草書的一部分，作為日本字的「字母」。日本展覽中的所謂「売場」，即小賣部，將「賣」誤成「売」。

他們的明治維新比我們早，全面、徹底，又輸給中國許多新名稱、新字詞——是文化的反彈，反彈的文化。無論家庭裝束、園林藝術、道具器物，你一看，這不是中國的嗎？已經是「日本」的了。

江戶時代的文學

自從平安朝後，日本文學轉入平淡。平安朝，以平安京（京都）為都城的歷史時代。接下來是鐮倉朝、室町朝。這兩朝文學命運掌握在武士和僧侶手中，要對武士歌功頌德，或宣揚佛家的避世，停滯在一個沒落的階段。冬去春來，到江戶時代（一六〇三—一八六七），日本文藝又興旺了。

江戶文學是全面復興的，有和歌、俳句、小說、戲劇，紛紛興起。歌壇（和歌）有香川景樹（一七六八——一八四三）作為代表人物。俳壇有松尾芭蕉——日本姓氏，指生於何處，或所居之處的特點，如田中、松尾、香川等，後兩字自取。子，中文稱男子，日本人稱女子——小說，有井原西鶴、山東京傳、曲亭馬琴，戲曲有近松門左衛門。

支配江戶時代文學的思想，是儒家的倫理學說。

松尾芭蕉（一六四四——一六九四），在日本到處可以看到他的俳句，也有詩。他的筆號桃青，是個旅行詩人。他的俳句是有閑寂的趣味。

俳句的規矩，是十七字組成一句短詩：第一句五字，第二句七字，第三句又是五字。公認是用來寫景的。後來五字一句，也成俳，兩句也成，三句也成，但不能有四句。

寫景，要閑、要寂、要淡。我所寫的短句早已超出規定，嬉笑怒罵都有，可謂俳句的異化，但我守住不出三句的規矩。

果然，再多，就失了俳風。下面是例子和我的翻譯：

古池や蛙飛びこむ水の音
（青蛙，跳進古池的聲音／我譯：古池，青蛙跳進，水之音）

枯枝に烏のとまりたるや秋の暮
（烏棲在枯枝上，秋色已暮了／我譯：枯枝上棲著烏，秋已暮了）

年暮ぬ笠きて草鞋はきながら
（戴著斗笠，穿著草鞋，不知年之暮／我譯：不知年之暮，斗笠，芒鞋）

「青蛙，跳進古池的聲音」這句，世界有名。

還有「十年後，那個咳嗽著回來的男人」，石川啄木（一八八六—一九一二）句。

芭蕉是俳句大師，學生很多，如榎本其角（一六六一—一七〇七）、服部嵐雪（一六五四—一七〇九）、森川許六（一六五六—一七一五）。

江戶文學的特點是平民文學的興起，散文流行，民間喜愛的敘事性散文，寫得像小說一樣。

「浮世草紙」，即寫實小說（「浮世」是佛家言，意為人生）。始創者井原西鶴（一六四二—一六九三），獨具慧眼，知人心秘密、市井罪惡，作《好色一代男》，大受歡迎，乃作《二代男》、《三代男》、《好色一代女》、《男色大鑒》，後來遭官方禁止，改作武道和歷史小說。他的思想特色是平民的、物質的、譏諷的、精細的、本能滿足的。

井原西鶴之後，「草紙」的內容與形式漸變，封面表紙赤者稱「赤本」，黑者稱「黑本」，黃封面稱「黃表紙」。「赤本」夾談妖怪，「黑本」雜以實物錄，「黃表紙」則諷刺、滑稽。

另有「讀本」，以勸善懲惡為宗旨。「灑落本」，以花街柳巷為題材。「人情本」，比「灑落本」更專精於巷談野語。

江戶時代的最大特產，叫「淨瑠璃」，創始者即近松門左衛門。「淨瑠璃」，即詩劇。

近松門左衛門（一六五三—一七二五），寫了一百多種，被比為日本的莎士比亞。他的詩劇分「時代物」（即歷史劇）、「世話物」（即社會劇）、「心中物」（情死劇）、「折衷物」（有史、有社會，混合寫）。因為寫得多，有人以近松比擬莎士比亞。日本哪裡出得了莎士比亞？

江戶時代，小說、詩、戲劇都有很大進步。所謂江戶，就是東京舊稱，古代是武藏國的一部分。

看日本，真是眼花撩亂，一目了然——或時而眼花撩亂，時而一目了然。

明治維新，文學最進步的時期之一

接下來是明治、大正時代。所謂明治維新，是個持久的運動，始自明治朝。明治和大正時代是日本文學最進步的時期。日本從那時起可算真正有了自己的文學。

此時能繼承江戶文學，又能努力向外發展。芭蕉、西鶴、近松，都後繼有人。

文學有兩類：一是獨自完成，但不影響別人；一是獨自完成，卻給與別人、後人影響，滋養後人的藝術。兩類各有好處。莎士比亞，不斷影響別人；屈原之後，成所謂騷體；塞尚自我完成，不知影響多少人；曹雪芹，也是一個源頭，張愛玲學了一點點，就有滋味。

能創造影響的，是一個天才，能接受影響的，也是一個天才。「影響」是天才之間的事。你沒有天才，就沒有你的事。

（笑：孩子幾歲了？喜歡吃什麼？愛吃就多吃點……歇著，別累了……慢慢會好的……）

儘管受影響，幾乎不用脫掉影響。

明治維新十年以前的文學小說，都是吃了前朝的殘羹冷菜，好在命脈不斷。看中國，斷層不斷，不止一次，是三次斷層。

一是「五四」的文言與白話之爭。文言轉白話，是時代使然，但轉得太急，兩派都太意氣用事，用吵架方式、革命方式，弄到「五四」以後，不懂古文了。

二是啟蒙與抗日救亡的矛盾。西方影響正要繼續進來，抗日救亡，就完全不顧文化教育。蔡元培終於也疲倦了。

三是革命和愚民。文學藝術在極權下成了丫頭，一邊歌功頌德，一邊長期愚民。

這是中國近代的文化悲劇。現在中國有轉機，出現不少小奇蹟，希望有中奇蹟、大奇蹟。

明治時代以來文學進步的原因，大致如下：

一，日本朝野各界銳意改革。

二，歐美文化思潮入境。

三，民眾生活積極進步。

四，日中戰爭、日俄戰爭，他們勝了。

五，人才頻出。

上一階段的江戶末期文學，已頹廢，山窮水盡，明治、大正時期是個不能不振作起來的新局，也可說是死裡求生（我們中國現在也面臨這樣一個情況，「文革」末期，山窮水盡，不能不振作）。政治、經濟、文化、教育，明治時期整體性地求改革，而且幾乎全部西化、歐化。

日本當時接觸西歐文化，也很膚淺。德川幕府時期，是從荷蘭得知一點歐洲文化。明治以來，歐風美雨源源而來，衣、食、住、行，日本人都喜歡，都用。我們從日本電影上看到，他們學得滿入流，有模有樣（其實中國二、三十年代，租界洋場上的人也是有模有樣的）。

最初流進日本的，以英美文化為主，然後是法德的。明治文學的黎明期，有寢饋於英國文學的坪內逍遙（一八五九—一九三五），有對德國文學造詣很深的森鷗外（一八六二—一九二二），又有崇拜法蘭西的中江兆民（一八四七—一九〇一），傾倒於俄羅斯的長谷川辰之助（一八六四—一九〇九，筆名二葉亭四迷），這樣各有所宗，各唱各調。日本文學左右逢世界之源，就蓬勃發達了。

中國「五四」也是這樣的好景觀，人才更多於日本，翻譯也很熱鬧，但禁不起後來政治的一刀切，一篇講話，什麼都完。

文學家中有寫小說的，寫長詩的，寫俳句的，寫戲劇的，而各品類中之佼佼者，多達二、三十人，可見陣容之大。尤其可貴的是出了十多位評論家！

「五四」以來，中國夠分量的評論家一個也沒有啊！出了一個戰士，魯迅先生，出了一個教育家，蔡元培先生。沒有評論家，苦在哪裡呢？是直到現在，不是誰好誰壞的問題，而是什麼是好什麼是不好的問題，都沒有弄懂。

魯迅沒有擔當這些，熱心於枝枝節節，說得再好，還是枝枝節節。讓魯迅評論，他也擔當不起來。丹麥的勃蘭兌斯把近代歐洲文學統統讀過，統統來寫，寫成《十九世紀文學之主潮》套書。魯迅在文學上缺乏自己的理論，也缺乏世界性的藝術觀；談繪畫，談到木刻為止。對音樂，魯迅從來不談。

中國要文藝復興，批評家一定要先出來，一個兩個批評家不夠的。中國文學有一天要復興，兩種天才一定要出現——創作的天才、批評的天才。

能不能兼？可以，但必須是天才。

其實全世界都在等待，各國都缺少這樣兩種天才。

明治文學進程分五個時期：

一，第一期前半是黑暗期。初，內亂頻起，新與舊、保守與進步的鬥爭很激烈，大家顧不到創作。第一期後半是準備期，民眾勢力抬頭，國亂稍平，翻譯工作競起，新思想成長。

二，日本近代文學的黎明期。坪內逍遙主張現實主義。理論研究成三派：硯友社、民友社、早稻田派。

三，文風轉變期。由寫實轉為觀念，日本的觀念小說有點近乎象徵和神秘主義，宜於知識分子讀，不久又過時了，轉為社會小說和家庭小說。

四，轉為自然主義。這個「自然」與法國的「自然主義」不同，是指不造作，聽其自然，但也有像法國自然主義的注重細節描寫的特點。此時，許多評論家出現。

五，新理想主義代替了自然主義，更豐富，更複雜。

從這歷程來看，一步一個腳印。到第五期，藝術與社會的關係加強了，至此可分三派：

人道派，以武者小路實篤（一八八五—一九七六）為中心，出雜誌《白樺》，又稱白樺派。

享樂派，以永井荷風（一八七九—一九五九）為代表。

唯美派，以谷崎潤一郎（一八八六—一九六五）為代表。

依習慣，都稱這幾位文學家名字的前兩字。

還有許多作家跨越十九世紀到二十世紀，如芥川龍之介（一八九二—一九二七），我以為是最傑出的，這要到講日本現代文學時再說——還有川端康成、三島由紀夫——芥川是個真正全盤接受西方文化的人，中國沒有這樣的人。他到過中國，和清末文人接觸過。

芥川龍之介，全盤接受西方文化，著有《羅生門》。

他的散文和短篇小說，寫得極好，電影《羅生門》就根據他的兩篇小說合併改編。他真正稱得上世界公民。日本文學以芥川為最高，後他因嚴重的神經衰弱自殺。上述三者，都是自殺的。「人生真不如一行波特萊爾的詩。」即是他的句子。

以人最可愛，是芥川，以日本性格論，是三島、川端，最成熟。

木心作品集——16

1989-1994文學回憶錄：十八一十九世紀之卷

講　　述　木　心
筆　　錄　陳丹青
總 編 輯　初安民
特約編輯　敏　麗
美術編輯　林麗華

發 行 人　張書銘
出　　版　INK印刻文學生活雜誌出版股份有限公司
新北市中和區建一路249號8樓
電話：02-22281626
傳真：02-22281598
e-mail：ink.book@msa.hinet.net
網　　址　舒讀網http：//www.inksudu.com.tw

法律顧問　巨鼎博達法律事務所
施竣中律師
總 代 理　成陽出版股份有限公司
電　　話　03-3589000（代表號）
傳　　真　03-3556521
郵政劃撥　19785090　印刻文學生活雜誌出版股份有限公司
印　　刷　海王印刷事業股份有限公司

港澳總經銷　泛華發行代理有限公司
地　　址　香港新界將軍澳工業邨駿昌街7號2樓
電　　話　(852) 2798 2220
傳　　真　(852) 2796 5471
網　　址　www.gccd.com.hk

出版日期　2013年10月　初版
2023年 9 月 8 日　初版四刷
定　　價　430元
1550元（套書）
ISBN　978-986-5823-37-5 (平裝)
978-986-5823-39-9 (套書)

國家圖書館出版品預行編目資料

1989-1994文學回憶錄：
十八一十九世紀之卷／木心 著；
--初版, --新北市中和區：INK印刻文學,
2013. 10　面；　公分.
ISBN　978-986-5823-37-5 (平裝)
978-986-5823-39-9 (套書)
1.世界文學 2.文學史
810.9　　102018259